MW00817994

Justo L. González

Teología liberadora

Enfoque desde la opresión
en una tierra extraña

SEGUNDA EDICIÓN

EDICIONES
KAIROS

Título original: *Mañana: Christian Theology
from a Hispanic Perspective*
Abingdon Press, Nashville, 1990
Publicado en castellano con permiso del autor

Copyright © 2014 Ediciones Kairós
Segunda Edición

Caseros 1275 - B1602ALW Florida
Buenos Aires, Argentina

Citas bíblicas tomadas de la Santa Biblia, Nueva Versión
Internacional. © 1999 por la Sociedad Bíblica Internacional

Diseño de la portada: Verónica Marques
Diaagramación: Adriana Vázquez
Traducción: Samuel Grano de Oro

González, Justo L.

Teología liberadora: enfoque desde la opresión en una tierra extraña / Justo L. González; dirigido por C. René Padilla. - 2a ed.,
Florida: Kairós, 2014.

266 pp.; 20x14 cm.

ISBN 978-987-1355-57-0

1. Teología Cristiana. I. C. René Padilla, dir.

CDD 230

CONTENIDO

Prefacio a la segunda edición castellana

La publicación de la segunda edición castellana de este libro ocurre en momentos en que se agudiza el problema de los inmigrantes indocumentados en los Estados Unidos, en su gran mayoría latinoamericanos. La única contrapartida que hasta hoy ha tenido la reforma migratoria prometida por el Presidente Barak Obama en su campaña presidencial en 2008 y 2012 es la deportación de cerca de dos millones de «indocumentados», cifra que supera la alcanzada durante los gobiernos de sus predecesores Bill Clinton y George W. Bush.

A quienes quisieran expulsar de los Estados Unidos a todos los extranjeros sin visa oficial de residentes les haría bien recordar su propio origen. Después de todo, la actual población de ese país es en gran medida el resultado de la inmigración de extranjeros que dejaron su propia tierra en busca del «sueño americano». A los xenófobos les cabría bien la exhortación a Israel al tomar posesión de la tierra prometida: «Él [Dios] defiende la causa del huérfano y de la viuda, y muestra su amor por el extranjero, proveyéndole ropa y alimentos. Así mismo debes tú mostrar amor por los extranjeros, porque también tú fuiste extranjero en Egipto» (Dt 10.18-19).

Un argumento de peso en defensa de los once y pico millones de «indocumentados» es que, lejos de ser una carga para el país, están proveyendo mano de obra barata, realizando trabajos que los «anglos» no quieren realizar. El pueblo estadounidense mayoritario necesita tomar conciencia del aporte significativo que esos millones de «exiliados» políticos, ideológicos o económicos están haciendo al desarrollo económico del país.

La situación de los inmigrantes hispanos «indocumentados» en los Estados Unidos plantea interrogantes de índole primordialmente económica y política. A los hispanos cristianos, sin embargo, su compromiso cristiano les sugiere, además, interrogantes de carácter teológico. Por ejemplo: ¿Qué importancia damos a nuestra identidad cultural, tomando en cuenta tanto nuestra ciudadanía terrenal como nuestra ciudadanía en el Reino de Dios? ¿Qué significa para nosotros vivir la fe en una tierra extraña, donde la iglesia generalmente mantiene una estrecha alianza con el orden socioeconómico y político? ¿Qué actitud debemos adoptar frente al racismo institucionalizado y la desigualdad económica y política que nos rodea? ¿Qué aporte podemos hacer a la comprensión del Evangelio desde nuestra propia tradición cultural?

Estas y otras preguntas similares son las que aquí Justo L. González aborda con «la esperanza de ser parte del creciente diálogo entre el pueblo hispano y otras minorías de los Estados Unidos». Aunque al escribirla originalmente tenía en mente a un pueblo que, como él mismo, vive en tierra extraña, esta obra es un modelo de «teología liberadora» —una obra útil para cristianos que, dondequiera que vivan, reconocen que por ser seguidores de Jesucristo están llamados a vivir como «extranjeros y peregrinos en este mundo».

C. René Padilla

1

TEOLOGÍA, MINORÍA Y COMUNIDAD

Teología y perspectiva

Lo que sigue no es un tratado teológico imparcial. Ni siquiera pretende serlo. Al contrario, estoy convencido de que toda perspectiva teológica, aunque pretenda ser imparcial, no lo es, aun cuando el teólogo no esté consciente de ello. Ciertamente, ciertos sistemas teológicos son más parcializados que otros. Sin embargo, antes de pretender juzgar sobre tal parcialidad, debemos estar conscientes de la parcialidad ya inherente en ese mismo juicio. Los aficionados al buceo dicen que en el ambiente marino, donde todo está en movimiento, lo que más les llama la atención no es lo que se mueve, sino lo que permanece inmóvil. De igual manera, cuando se trata de detectar tendencias o aun prejuicios en un sistema teológico que difiera de las normas establecidas, hay que tomar en cuenta que tales normas conllevan sus propias tendencias y sus propios prejuicios. Bien puede ocurrir que las ideas que todos compartimos, por el hecho mismo de ser comunes, contengan una parcialidad o hasta algún prejuicio que nos pase desapercibido, y que sólo veremos cuando otra perspectiva, con sus propias particularidades y prejuicios, nos ayude a descubrirla. Es aquí donde la perspectiva de las minorías puede hacer una contribución importante a la teología y a la vida de la iglesia en general.

En modo alguno quiero decir que la tarea de la teología consista entonces en recoger los diferentes puntos de vista, compararlos, y luego tratar de producir un sistema teológico libre de parcialidades. Esta ha sido frecuentemente la manera en que el mundo académico ha abordado el quehacer teológico. Mucho puede decirse en defensa del esfuerzo académico por lograr una objetividad racional. Pero así y todo, si hay algo que puede afirmarse con certeza absoluta acerca del Dios de las Escrituras, es que no se le puede conocer mediante la objetividad racional.

Podemos ir aún más lejos, y decir que el Dios de las Escrituras no es un Dios imparcial. Dios ha establecido propósitos muy claros y definidos, y mueve toda su creación, el mundo y la humanidad, hacia esos propósitos. Esto significa que estará en contra de todo aquello que se interponga a la realización de esos propósitos, y a favor de todo lo que contribuya a la misma. En consecuencia, la tarea de la teología no es presentar el carácter de Dios y su creación de manera neutral e incolora, sino descubrir los propósitos de Dios, discernir las «señales de los tiempos», y llamar a la iglesia a la obediencia en medio de la situación en que vive.

La teología no se produce en lo abstracto. No puede pretenderse que exista una teología «general» o «universal», aplicable a toda situación. Sí existe una comunidad cristiana unida por lazos comunes de fe. Pero esa comunidad de fe está constituida por las diferentes perspectivas y experiencias de participantes que tratamos de contribuir a que la comunidad descubra dimensiones del evangelio que aún no han sido exploradas, al tiempo que también invitamos a la comunidad a que corrija y enriquezca nuestro entendimiento y nuestra experiencia.

Por todo esto, es aconsejable que el autor declare aquí su propia perspectiva y experiencia.

La experiencia de ser minoría religiosa

Nací y me crié en un país latinoamericano donde apenas el 4 ó 5 por ciento de la población era protestante. En Cuba, por aquellos días, ser protestante significaba estar en oposición a todo lo que fuera católico romano. De hecho los católicos romanos sabían muy poco acerca del protestantismo. No era nada extraño el que fuésemos considerados herejes. Casi todos mis compañeros de escuela superior eran católicos, al menos de nombre. Algunos eran bastante devotos, y una de las maneras en que lo manifestaban era que se persignaban cuando se percataban de que yo era protestante. En voz baja en la biblioteca, o a gritos en el patio, sosteníamos intensos debates sobre la supremacía del papa, la necesidad de confesarse, la mediación de los santos ante Dios, la autoridad de la Biblia y muchos otros temas sobre los cuales ni ellos ni yo sabíamos gran cosa.

Al recordar esos incidentes veo que tales debates influyeron, en cierto modo, sobre varios aspectos de mi visión teológica.

El aspecto más importante es la autoridad de la Biblia, que a pesar de muchas otras experiencias sigue siendo para mí igualmente importante hasta el día de hoy. Cuando se es parte de una minoría presionada por una mayoría que trata de probar que uno está errado, es lógico y hasta psicológicamente necesario que uno trate de ampararse en lo que constituye para ambos bandos una autoridad indiscutible. Esa autoridad era la Biblia. Muy pronto se hizo evidente que tratar de debatir con mis compañeros en base al mal llamado «sentido común» era fútil, pues el tal «sentido común» no es sino el sentir de la comunidad, o de quienes dominan en ella. Pero cuando en medio de mis debates yo podía probarles a mis contrincantes que la Biblia me apoyaba en un punto bajo discusión, no les quedaba otra alternativa que huir al sacerdote en busca de respuestas a mis planteamientos.

Con el paso de los años, ha cambiado mucho la comprensión que en esos tiempos tenía yo del mensaje y autoridad de la Biblia. Sin embargo, debo a las experiencias de esos tiempos el no haber incurrido, hasta hoy, en el error de esos sectores liberales para quienes el mensaje de la Biblia tiene el mismo valor que los «mejores» valores de la sociedad. En realidad, son muchas las razones teológicas por las cuales rechazo la postura liberal ante el mensaje bíblico. No obstante, sospecho que detrás de esas razones teológicas está la influencia de los debates con mis compañeros de escuela superior.

El ser minoría también afectó mi comprensión de la historia universal. En nuestros debates nos referíamos con frecuencia a los Estados Unidos y Europa. De manera implícita y a veces explícita, mis correligionarios y yo concluíamos que la cultura estadounidense era más cristiana y avanzada que la nuestra. Lo mismo pensábamos sobre el norte de Europa. Muchos misioneros que llegaban a mi país no distinguían claramente entre su cultura y el evangelio. Muchos de ellos enseñaban implícitamente que había una identidad, o al menos una proximidad, entre ambos. Empero no toda la culpa era de los misioneros. Confieso que en esos tiempos se nos hacía fácil aceptar esa confusión entre el cristianismo y una cultura extranjera. En medio de una sociedad donde se pensaba que el catolicismo y nuestra cultura eran coextensivos, era para mí reconfortante apuntar hacia otra sociedad donde existía la misma conexión entre el protestantismo y la cultura —con la aparente ventaja para los protestantes de que podíamos señalar los avances tecnológicos, políticos y económicos de esa sociedad. Experiencias ulteriores alteraron radicalmente mis convicciones de aquellos días, pero no puedo olvidarlas ni ocultarlas, pues son parte importante y significativa de la experiencia de pertenecer a una minoría religiosa.

Las mismas tendencias pueden encontrarse diseminadas todavía por toda América Latina. A causa del apoyo que las iglesias latinoamericanas reciben de misioneros e iglesias de los Estados Unidos, muchos protestantes latinoamericanos se sienten en deuda con los Estados Unidos y su cultura. Esa es la razón por la que muchos protestantes hispanos que emigran a los Estados Unidos son incapaces de tolerar críticas a la sociedad en que viven. Tal crítica se interpreta no sólo como una crítica al país, sino también a su religión. Este criterio cambia según esos inmigrantes enfrentan situaciones de racismo y opresión en la sociedad estadounidense en que ahora viven; sin embargo el mismo criterio continúa vigente en los nuevos inmigrantes protestantes hispanos. El resultado es que buena parte de los protestantes hispanos de los Estados Unidos profesan las mismas ideas que yo profesaba cuando de muchacho llegué por primera vez a este país. Se necesita con urgencia la orientación de pastores e iglesias hispanas que ayuden a los nuevos inmigrantes protestantes a descubrir que las Sagradas Escrituras les dan autoridad para ser quienes son, y a reclamar su propia identidad y cultura, sin necesidad de repetir o imitar el modo en que otras personas y culturas viven su fe.

En tercer lugar, otra manera en que mi visión teológica fue impactada por la experiencia de pertenecer a una mino-

ría religiosa es el modo de entender la relación entre la iglesia y la sociedad. Para nosotros, la minoría protestante, la
iglesia constituía un refugio en medio de un mundo hostil.
Sentíamos el desafío hacia la misión. Pero esto no involucra-
ba producir cambios significativos que alteraran la vida de
la sociedad. Nuestra misión se reducía a atraer refugiados y
decepcionados al seno de nuestra comunidad cristiana. El estudio serio de la Biblia me ha hecho superar esa manera de
concebir lo misional, pero todavía siento simpatías hacia el
antiguo concepto anabaptista de la iglesia como una comunidad diferente a la civil y nunca coextensiva con ella. En mi
juventud siempre se me presionaba a elegir entre los valores
de la comunidad cristiana y los de la sociedad que me rodeaba. No había una tercera alternativa. Aun ahora, al ver que la
iglesia a la que pertenezco no hace esas mismas demandas,
me siento incómodo. Aunque ya no concuerdo con el existen-
cialismo de Kierkegaard que una vez me fascinó, ni con su
estilo de caballero solitario de la fe, todavía tiene gran valor
para mí su crítica de ese supuesto cristianismo que acomoda
la fe a los caprichos de las clases medias y ricas de la sociedad:

> En la gran catedral, y delante de una congregación muy
> selecta, aparece Su Señoría Reverendísima, el favorito
> de la gente que sabe lo que está de moda, y presenta la
> homilía sobre el texto que él mismo escogió: «Lo vil del
> mundo y lo menospreciado escogió Dios» ... ¡Y nadie
> se ríe![1]

El cristianismo que la mayoría de la población de los Estados Unidos favorecía envió misioneros a mi país, y estos me
enseñaron cómo ser parte de una minoría cristiana. ¡Y ahora

---

[1] Søren Kierkegaard, *Attack upon Christendom*, 1854-1855, Boston, Beacon
Press, 1944, p. 181.

que por diversas circunstancias vivo en el país de donde procedían los misioneros, ese sentido de minoría que ellos me enseñaron me fuerza a rebelarme contra la clase de cristianismo que les envió!

La experiencia de ser minoría étnica

Mi experiencia como parte de una minoría tomó una dimensión diferente en los años siguientes. Cuando vine a vivir a los Estados Unidos, me percaté de que, aunque mi religión era la de la mayoría, ahora yo era parte de una minoría por razones étnicas. El cobrar conciencia de esa realidad ocurrió por etapas. Todavía recuerdo algunos incidentes menores que me ayudaron en ese proceso —incidentes que podrían parecerle casos de hipersensibilidad a quien no los haya experimentado. Recuerdo, por ejemplo, que entré a una tienda en New Haven, Connecticut, y de inmediato dos empleados me seguían, como si sospecharan que iba a robarme algo. También recuerdo mi primera reunión como miembro del cuerpo docente de una institución norteamericana. Tomé la palabra y sugerí una solución al asunto que tratábamos, pero nadie le prestó atención. Más adelante en la discusión, un colega de raza blanca y cultura anglosajona dijo exactamente lo mismo que yo había dicho antes, y la sugerencia fue recibida con mucho aprecio y entusiasmo. Aunque esos incidentes no llegaron a afectarme mucho en lo personal, sí me hicieron abrir los ojos a la realidad de la sociedad en que vivía, y a la vez a comprender lo que les ocurre no sólo a los hispanos, sino también a los afroamericanos, a los trabajadores agrícolas de cualquier raza y a los indígenas nativos de Estados Unidos. Más tarde comprendí que eso también les acontece a las mujeres, los ancianos y otros grupos marginados. El ser ahora parte de una minoría étnica me abrió los ojos y los oídos al problema de la opresión que subyace en la sociedad estadounidense, y a tantos marginados y oprimidos que claman, muchas veces en nombre de la fe cristiana.

Creo yo que, como resultado de todo esto, la autoridad de la Biblia se enaltece, aun cuando la manera de interpretarla ha cambiado. Creo que las Escrituras proveen lo necesario para corregir los valores y prejuicios de la sociedad. Tanto en este país como en América Latina, los grupos que están en el poder afirman creer en la autoridad de la Biblia. Esto es ventajoso para los que nos comprometemos a luchar por una sociedad más justa, pues si podemos probar que el mensaje de la Biblia está de nuestra parte, eso constituye un arma poderosa contra toda clase de opresión.

Hay algo más en relación con la autoridad de la Biblia. Para nadie es desconocido que la Biblia ha sido utilizada en muchas ocasiones para justificar y apoyar injusticias y represiones. La conquista española y portuguesa de lo que hoy es América Latina se hizo en base a criterios supuestamente bíblicos. En ambas Américas se ha usado la Biblia para destruir importantes culturas y civilizaciones. Tanto en Europa como en América, la autoridad paulina ha sido invocada con el fin de justificar la esclavitud. En Estados Unidos, después de la abolición de la esclavitud y hasta el día de hoy, los supremacistas blancos aseguran que la Biblia confirma sus creencias. Hoy día las cartas de Pablo y las epístolas deuteropaulinas son citadas frecuentemente por hombres y mujeres que abogan por un papel secundario para la mujer en la sociedad.

Bajo tales circunstancias no sorprende que muchos oprimidos de este país hayan abandonado la Biblia como fuente de esperanza. Más y más mujeres nacidas dentro de la iglesia están convenciéndose de que la Biblia es un libro básicamente sexista y que por lo mismo debe ser rechazada.[2] Algunos indígenas, en búsqueda de su identidad y sus raíces, regresan a las religiones de sus antepasados, mientras afirman que el cristianismo es la religión de los «caras-pálidas».[3] Lo mismo ha ocurrido por décadas entre los afroamericanos.[4] El movimiento de los musulmanes negros es sólo un ejemplo de lo que digo.[5] Entre los hispanos de los Estados Unidos crece una

---

[2] «Pasé a otras cosas, lo que incluye un cambio dramático y traumático de conciencia, de "católica radical" a feminista poscristiana.» Mary Daly, *The Church and the Second Sex*, 2ª ed., Harper Colophon Books, Nueva York, 1975, p. 5.

[3] «Hay doctrinas y creencias cristianas, y algunas de las creencias de grupos tribales indígenas, que parecen estar en abierta oposición. La oposición es más que un asunto conceptual, pues determina la manera en que los no-indígenas conciben el mundo y a la gente con la que se rozan, en particular los indígenas nativos.» Vine Deloria, Jr., *God is Red*, Dell, Nueva York, 1973, p. 289. (Deloria es hijo de un pastor luterano.)

[4] «Fui católico bautizado, tomé la primera comunión, fui confirmado y llevaba un crucifijo alrededor del cuello. Oraba todas las noches, rezaba el rosario, iba a confesión, y rezaba todos los Avemarías y Padrenuestros que el sacerdote me imponía ... Escogí la Iglesia Católica porque todos los mexicanos y negros asistían a ella, mientras que los blancos iban a la capilla protestante. De haber sido yo lo suficientemente tonto como para asistir a la capilla protestante, donde se vería mi cara negra entre un mar de caras blancas, y además con la guerra de guerrillas que había entre nosotros, habría acabado siendo un mártir cristiano, ¡San Eldridge el Necio!» Eldridge Cleaver, *Soul on Ice*, Dell, Nueva York, 1968, p. 30.

[5] El avance del islam entre la población norteamericana en las últimas décadas ha sido sorprendente. Las siguientes palabras explican algo del atractivo del islam para esa población: «En los Estados Unidos, la iglesia cristiana es incompatible con las aspiraciones de los negros en busca de dignidad e igualdad. Cuando pudo haber ayudado, más bien desayudó; cuando estaba obligada moralmente a intervenir en algo, fue evasiva. Ha declarado que su misión tiende a la hermandad de todos bajo el liderato de Cristo, pero ha separado a los creyentes en base al color de su piel. Lo que ellos llaman el amor cristiano, es el amor del blanco por sí mismo y por

tendencia hacia la secularización y el resentimiento. Esta secularización y resentimiento no tienen nada que ver con la
secularización de la clase media —que se basa en consideraciones intelectuales y quizá en la abundancia de recursos
económicos—, sino que provienen de la experiencia de que
las buenas nuevas que se supone sea el evangelio no llegan a
concretarse en acciones de amor, justicia y compasión.

A la vez, hay muchos dentro de esos mismos grupos oprimidos que se refugian en el deseo de volver a la «fe de los padres» («*the old time religion*»), que renuncia al mundo en busca de una recompensa celestial. El enorme crecimiento de las
iglesias fundamentalistas entre los afroamericanos, hispanos,
nativos americanos y blancos pobres es un ejemplo de esto.
Sin embargo, como podrá verse más adelante, los fundamentos bíblicos de estos grupos distan mucho de la verdadera fe
bíblica, como distan también los de sus oponentes, los liberales. Un fenómeno paralelo puede verse en las publicaciones
y movimientos de algunos grupos femeninos, que basados
en principios supuestamente bíblicos prometen la felicidad
matrimonial a cambio de la total sumisión de la mujer a su
marido.[6]

---

su raza. Para construir un mundo mejor donde haya igualdad y justicia,
la religión islámica es la alternativa para quien no es blanco.» Palabras de
un estudiante del Clark College en 1956, citadas por C. Eric Lincoln, *The
Black Muslims in America*, Beacon Press, Boston, 1961, p. iii.

[6] Entre docenas de libros publicados, los más conocidos son: Marabel Mor-
gan, *The Total Woman*, Fleming H. Revell, Old Tappan, Nueva Jersey, 1973,
y Helen B. Andelin, *Fascinating Womanhood*, Pacific Press, Santa Barbara,
California, 1965. En 1975, mi esposa y yo escribimos una crítica teológica
a esos libros, titulada: «How Total is "Total"» a pedido del Comité sobre
Asuntos Femeninos de la Iglesia Presbiteriana, que se preocupaba por el
impacto que estos libros estaban teniendo entre sus filas.

Afortunadamente, ésas no son las únicas opciones de que disponemos. Tanto entre las mujeres como entre los diferentes grupos étnicos crece la convicción de que si la Biblia se lee y estudia correctamente se puede llegar a resultados diferentes —conclusiones que son liberadoras y fieles al mensaje bíblico.[7]

En conclusión —y como podrá verse más adelante en este ensayo—, la experiencia de ser parte de una minoría étnica en este país me ha enseñado a interpretar y entender de manera diferente el mensaje de las Escrituras, de esas mismas Escrituras que amo y aprecio como resultado de haber sido parte de una minoría religiosa en mi país de origen.

Cambios en América Latina

Son muchos los cambios ocurridos en América Latina desde aquellos días en que yo discutía asuntos religiosos con mis compañeros de escuela superior. No hay lugar en este libro para describir esos cambios. Pero sí debo mencionar uno de ellos que es particularmente importante y significativo para mí, pues ha influido en mucho de lo que he de decir más adelante en este ensayo.

En décadas recientes, la Iglesia Católica en América Latina ha tomado conciencia de su responsabilidad hacia las masas desposeídas del continente.[8] La predicación del evangelio y

---

[7] Como ejemplos del modo en que algunas mujeres han abordado esa tarea, ver Rachel C. Wahlberg, *Jesus According to a Woman*, Paulist Press, Nueva York, 1975, y Letty M. Russell, ed., *Feminist Interpretation of the Bible*, Westminster Press, Filadelfia, 1985, p. 2.

[8] Son muchos los documentos que ilustran esta tendencia, aunque el nuevo rumbo lo marcó claramente la Segunda Asamblea del Consejo Episcopal Latinoamericano, celebrada en Medellín en 1968. La edición original incluía

la administración de los sacramentos son ciertamente parte
de esa responsabilidad, y muchos sacerdotes han limitado
su compromiso a eso. Pero otra parte importante de esa responsabilidad es la preocupación por la condición psicológi-
ca y física de las masas. En una primera etapa, los líderes se
preocupaban más por las necesidades individuales, así como
las necesidades de comunidades pequeñas. Pero muy pronto
llegaron a la convicción de que la lucha iba más allá del con-
frontamiento de necesidades particulares, pues esas necesidades eran creadas por estructuras sociales mucho más amplias,
y concluyeron igualmente que las demandas del evangelio
apuntan no sólo a la solución de cuestiones inmediatas, sino
más bien a la creación de un orden social más justo. Como la
Iglesia Católica es poderosa en muchos de nuestros países — o
al menos parece serlo— esta nueva perspectiva la condujo a
enfrentamientos con algunos gobiernos represivos. Los líderes del movimiento sabían que no sólo luchaban contra estructuras locales, sino también contra grandes intereses tanto nacionales como internacionales que apoyaban a los gobiernos
represivos.[9] En esta lucha cayeron docenas de sacerdotes — y

---

aquí una breve bibliografía sobre el tema en inglés. No se incluye aquí, por
resultar superflua para lectores latinoamericanos.

[9] «La acumulación de capital crea islas dentro de un mundo explotado ...
islas donde la acumulación más desenfrenada se vincula con salarios altos
y altos gastos sociales de los gobiernos ... La acumulación del capital se
lanza con toda su furia agresiva sobre las grandes regiones empobrecidas,
en las cuales la población y la naturaleza son destruidas y quedan al criterio
del capital, mientras las islas modernas en este gran mundo empobrecido
sirven al propio capital para presentarse como portador del "reinado de la
justicia social" ... Solamente así logra constituir en estas islas desarrolladas
su legitimidad sobre bases amplias, lo que permite mantener allí regímenes
parlamentarios. En el resto del mundo recurre a regímenes de fuerza, cuya
existencia no es explicable sino por el apoyo que estos países del centro
—democráticamente legitimados— les prestan.» Franz J. Hinkelammert en

un arzobispo —, muchos de los cuales murieron en circunstancias misteriosas. Es incontable el número de líderes laicos,
tanto hombres como mujeres, que también cayeron. La lista
de los desaparecidos en un país relativamente pequeño como
Guatemala puede compararse a los peores días de persecución en tiempos preconstantinianos. Todo esto ha forzado a
muchos dentro de la Iglesia Católica a revaluar no sólo sus actitudes políticas, sino también su tradición teológica. Tal revaluación es, en muchos puntos, semejante a la reinterpretación
de las Escrituras que propongo en este libro. Esa revaluación
ha venido en conexión con un retorno a la autoridad de las
Escrituras, de lo cual ha surgido una forma de ecumenismo
que asombraría a más de uno de los líderes ecuménicos de
hace algunas décadas.

El otro aspecto de este ecumenismo lo constituyen los cambios que han ocurrido dentro del protestantismo. Todavía
existe el protestantismo que conocí en mi juventud, con su
marcado anticatolicismo y sus sentimientos pronorteamericanos. Pero junto a ése, se desarrolla otro protestantismo, capaz
de interpretar las Escrituras y la teología por medios propios.
Gran parte de ese desarrollo ha ocurrido gracias a ciertos sectores dentro del catolicismo, pero fundamentalmente se debe
a la reflexión de esos mismos protestantes a medida que se
identifican con las luchas sociales, económicas y culturales de

la obra de Pablo Richard et al., *La Lucha de los dioses: los ídolos de la opresión
y la búsqueda del Dios Liberador*, 3ª ed., DEI, San José, 1989, pp. 224-25.

sus países.[10] Este protestantismo está mejor preparado para entrar en un verdadero diálogo con el nuevo catolicismo.[11]

Así es que protestantes y católicos romanos trabajan juntos hacia la consecución de una nueva sociedad. Pero no lo hacen sobre la base de las viejas teologías de sus respectivas tradiciones, sino que van descubriendo aspectos pertinentes y olvidados de sus tradiciones sobre los cuales fundamentan la acción común. Dicho en otros términos, lo que ha pasado es que por causa de sus convicciones, muchos de los líderes del movimiento dentro de la Iglesia Católica han sido objeto de persecuciones, muchas veces por parte de la jerarquía,[12] y para justificar sus acciones se han visto precisados a apelar a la autoridad de las Escrituras, tal como tenía que hacer yo cuando debatía con mis compañeros de escuela superior.

Esta breve exposición de lo que ocurre en América Latina es importante para este ensayo, porque esos acontecimientos tienen su impacto sobre las vidas de los hispanos que vivimos en los Estados Unidos. Tendremos más que decir sobre este

---

[10] Sobre el origen y trasfondo de la nueva teología protestante latinoamericana, ver Mortimer Arias, «El itinerario protestante hacia una teología de la liberación», en *Vida y Pensamiento 8* (1988), pp. 49-59.

[11] Aquí se incluía algo del estado del ecumenismo en América Latina, y sobre movimientos e instituciones tales como el CLAI y la CEHILA. Una vez más, tales materiales —que eran de carácter introductorio para lectores de habla inglesa— no se incluyen por ser suficientemente conocidos para nuestros lectores de habla castellana.

[12] Los ataques más significativos son probablemente los de la Sagrada Congregación para la Doctrina de la Fe (los sucesores de la antigua Inquisición), publicados en *L'Osservatore Romano* (9 de septiembre de 1984 y 13 de abril de 1986). Acerca de esas dos publicaciones, ver Luis N. Rivera-Pagán, «El Vaticano y la teología de la liberación.» *Apuntes 6* (1986), pp. 51-60. Apuntes es una revista de teología hispana en los Estados Unidos que se publica desde 1980.

tema en otros capítulos, pues aquí, en este país, esos acontecimientos nos afectan profundamente. Pero dejemos por ahora
los asuntos de Latinoamérica para concentrarnos en lo que
es el propósito de este libro: la situación nuestra aquí en los
Estados Unidos.

Teología al estilo de Fuenteovejuna

La comedia *Fuenteovejuna*, de Lope de Vega, cuenta la historia del pueblo que llevaba ese nombre, y que era gobernado
en forma tiránica por Don Fernán Gómez, caballero comendador de la Orden de Calatrava. Después de mucha opresión y
sufrimiento, el pueblo se rebeló y mató al comendador, cuya
cabeza colgaron en un poste como símbolo de libertad. El grito de batalla de la rebelión era: «Fuenteovejuna, todos a una».
Cuando la noticia llegó a oídos del Superior de la Orden, éste
apeló de inmediato a los reyes Fernando e Isabel para que
autorizaran una investigación que diera con los responsables,
y para que fueran castigados. Poco tiempo después, el juez
que estudiaba la causa encontró que muy poco avanzaban
sus investigaciones, porque siempre que preguntaba «¿Quién
mató al comendador?», la respuesta era la misma: «Fuenteovejuna, señor». Frustrado por tal situación, ordenó torturar a
trescientos de entre los habitantes del pueblo. Aun entre los
torturados, hombres, mujeres, niños y ancianos, la respuesta
era la misma: «Fuenteovejuna, señor». Finalmente, el juez pidió instrucciones sobre el caso a Fernando e Isabel, quienes le
respondieron que, dada la unanimidad del pueblo en el asunto, era muy probable que hubiera causa justa para la muerte
del comendador.

Lo interesante es que cuando el pueblo respondía «Fuenteovejuna, señor», no lo hacía para encubrirse unos a otros.

El caso es que a través de los sufrimientos y la rebelión final se había producido tal sentido de solidaridad que a la muerte del comendador ya todos pensaban que nadie en particular lo había hecho, sino el pueblo. Ya no se podía establecer responsabilidad individual, aunque ellos así lo quisiesen, sino que «Fuenteovejuna, todos a una» se había convertido en algo más que un grito de batalla para volverse una realidad.[13]

Este libro se asemeja mucho a la realidad de Fuenteovejuna, pues la esencia del material que contiene proviene de cientos de discusiones y encuentros con hispanos de todas partes y de todo nivel teológico, a tal punto que ya no sé quién me sugirió tal o cual idea. Recuerdo bien algunos conceptos discutidos en una escuela dominical en una iglesia pentecostal del Bronx en Nueva York. Recuerdo otros conceptos discutidos con alumnos del Seminario Evangélico de Puerto Rico. Mucho del material que incluyo es también parte de las discusiones del grupo de «Instructores Hispanos», que se ha reunido en el Seminario Teológico Perkins en Dallas por dos décadas. Mis pensamientos se han nutrido de libros y artículos

---

[13] Como una nota al calce de esta historia, cabe señalar que en el otoño de 1987 mi esposa y yo viajábamos por España, y decidimos desviarnos de la ruta trazada para visitar la aldea cuya historia siempre me ha fascinado. La encontramos al final de una estrecha y tortuosa ruta, asentada entre las montañas del sur de España. Al acercarnos al pueblo, alcanzamos a ver a un anciano, quien a la vera del camino pastoreaba un rebaño de ovejas. Nos detuvimos a conversar con él y pronto nos percatamos de que muy poco sabía de letras, pues ni siquiera sabía quién era Lope de Vega. Sin embargo, cuando le pregunté «¿Es ésta la famosa Fuenteovejuna?», se irguió y con voz clara y fuerte dijo: «Todos a una.» Entonces, me le acerqué un poco más y le dije: «Ya ha pasado mucho tiempo, pero le aseguro que a nadie se lo diré. ¿Podría decirme, por favor, quién mató al Comendador?» Miró alrededor de manera furtiva, se cubrió la boca con las manos como si fuera a murmurar un secreto y, con un destello en los ojos, proclamó con orgullo: «¡Fuenteovejuna, señor!»

de colegas de todo el mundo, y hasta de diversos siglos; tanto que me sería muy difícil, en muchos casos, determinar dónde, o de quién escuché algún concepto en particular. Puedo decir que lo que hay en estas páginas es buena parte de todo lo que he compartido o aprendido de mis hermanas y hermanos hispanos a lo largo de los años. Desde luego, no pretendo hablar a nombre de todos ellos, pues existe entre nosotros gran variedad en cuanto a puntos de vista se refiere. Sin embargo, al mismo tiempo que no puedo hablar por ellos, no es menos cierto que sin ellos tampoco podría hablar.

La razón por la que he traído a colación la historia de *Fuenteovejuna* va más allá de mi reconocimiento y gratitud a colegas y amigos. El estilo de *Fuenteovejuna* es en realidad una manera distinta de hacer teología. Porque si la teología es tarea de toda la iglesia, y ésta es por definición una comunidad, entonces no es propio insistir en teologías individualistas. La mejor teología sigue siendo una empresa comunitaria, y los hispanos podemos contribuir en ese sentido.

La teología occidental, especialmente la que se hace en círculos académicos, ha pecado de ser extremadamente individualista. Al estilo de los caballeros en torneos medievales, los teólogos se enfrascan en lucha al grito de sus parciales, quienes ocupan sitiales de honor en las gradas, mientras la plebe observa el combate a distancia — si es que siquiera se interesan. Habrá un marcado contraste entre esto y la teología hispana al estilo de *Fuenteovejuna*, porque nuestras tradiciones no se adhieren al individualismo en la medida en que lo hacen las comunidades del Atlántico del Norte. De hecho, mis amigos estadounidenses se sorprenden cuando les digo que no existe en nuestro idioma una palabra para definir esa «*privacy*» (que a veces traducimos como «privacidad») que es tan importante para los valores de la cultura dominante estadounidense. En

nuestro idioma, ser «privado» es a la vez carecer de algo —
por ejemplo, ser privado de la libertad. En el idioma inglés, lo
«*private*» es el ámbito de lo más sagrado e inviolable. Y entre
las cosas más «*private*» se encuentran las convicciones religiosas. Luego, la teología académica del Atlántico del Norte, empresa personal y privada de los supuestamente grandes teólogos, refleja una cultura en la que los valores comunitarios
se supeditan a los valores individuales. Nuestra teología será,
por el contrario, un constante diálogo entre los miembros de
la comunidad, de modo que en la medida en que se mantenga
fiel a las experiencias y fe de la comunidad, no será posible
hablar de «mi teología», o «tu teología». No será la teología
de los teólogos, sino la teología de una comunidad que cree y
practica su fe. Cuando alguien nos pregunte «¿Quién mató al
comendador?», todos diremos a una: «Fuenteovejuna, señor».

2

¿QUIÉNES SOMOS?

En mi primera conferencia como profesor de teología e historia en Atlanta, Georgia, comencé diciendo que hubo un tiempo en que La Habana (no Savannah, Georgia, sino La Habana, Cuba) fue la capital de Georgia. Luego continué diciendo: «Bienvenidos, extranjeros». Desde luego que el tono de lo que decía era algo jocoso; pero a la vez servía para ilustrar algo que casi siempre se olvida, y es que, en realidad, quienes han llegado más recientemente a este país no fueron los hispanoamericanos, sino los angloamericanos.[1] Diecinueve años antes de que los ingleses fundaran una desaparecida colonia en lo que Sir Walter Raleigh llamó Virginia, los españoles, que tenían su asiento en Cuba, habían fundado una ciudad que todavía existe en San Agustín, Florida. Y doce años antes de que los famosos peregrinos desembarcaran en Plymouth Rock, los españoles fundaron la ciudad de Santa Fe en Nuevo México.

---

[1] Quizá una nota personal pueda ilustrar aquí la complejidad de la historia de los hispanos en los Estados Unidos. Hace algunos años, mientras se encontraba en el Archivo de Indias en Sevilla haciendo algunas investigaciones, mi hermano decidió utilizar su tiempo libre para averiguar sobre los orígenes de la familia de mi abuela paterna, la cual se cuenta entre los fundadores del pueblo de Jaruco en Cuba. Para su sorpresa, se encontró con que esa familia poseía tierras cerca de Appalachicola en la Florida, y que luego emigraron a Cuba como refugiados cuando, por el Tratado de París, Florida fue cedida a Inglaterra en 1763.

Los hispanos en los Estados Unidos

Los primeros hispanos que vinieron a formar parte de este país no lo hicieron como inmigrantes, sino que fueron arropados por los Estados Unidos en su proceso de expansión. Este proceso ocurrió en parte por la compra de territorios, en parte por conquista militar, y en parte por la simple anexión de terrenos que nadie tenía fuerzas suficientes para defender. En los Estados Unidos de hoy, no es siquiera necesario recurrir a la historia para ver el impacto de esas antiguas poblaciones hispanas, sino que es suficiente mirar el mapa y ver nombres como Florida, California, Nevada, Colorado, Los Angeles, San Francisco, San Diego, Sacramento, y Cayo Hueso (isla cuyo nombre español se ha corrompido, hasta venir a ser «*Key West*»).

Ese proceso de expansión comenzó en 1810, cuando los Estados Unidos se anexaron la porción occidental de Florida en busca de una salida al Golfo de México (que todavía era verdaderamente el Golfo *de México*). Para 1853, el proceso expansionista del país había capturado, por varios medios, todo lo que es ahora Florida, Texas, Nuevo México, Arizona, California, Nevada, Utah, y partes considerables de Colorado, Kansas, Oklahoma y Wyoming. México había perdido más de la mitad de lo que antes había sido su territorio, mientras que los Estados Unidos doblaban la extensión que tenían originalmente.

Como es usual en tales casos de expansión imperialista, el proceso necesitaba de una ideología que hiciese más fácil a la conciencia nacional aceptar lo que ocurría sin detenerse demasiado a conocer los verdaderos motivos detrás de esa expansión. En 1845 se acuñó la frase «el destino manifiesto». Esta frase definía la ideología de expansión en forma tan efi-

caz que muy pronto cautivó el corazón de los estadounidenses. En esta ideología se proclamaba que Dios había destinado
a los Estados Unidos para guiar al resto del mundo hacia el
progreso y la libertad. Ya en 1823, el presidente Monroe había proclamado su famosa doctrina, mediante la cual se ad-
vertía a las demás potencias que los Estados Unidos no to-
lerarían aventuras coloniales en el hemisferio occidental. En
1844, Texas se convirtió en un estado de la Unión, violando el
acuerdo con México, que había reconocido la independencia
de Texas a condición de que continuara siendo independiente
permanentemente, y los Estados Unidos no hicieran de la región parte de su territorio nacional —lo cual sirve de mentís
a quienes afirman que los Estados Unidos nunca han violado
un tratado. A continuación ocurrió la guerra con México, que
se veía venir desde hacía tiempo. El patriota estadounidense
John Quincy Adams había dicho ya en 1836 que si la guerra
se declaraba, México pelearía por su libertad, pero los Estados
Unidos pelearían en defensa de la esclavitud.[2] Algo después
de la guerra, Ulisses S. Grant, quien había participado en ella
y estaba convencido de que la misma era una conspiración
destinada a incrementar el número de estados esclavistas,
declaró que la horrible Guerra Civil estadounidense no fue
sino la acción de Dios en castigo por la guerra con México.[3]
En todo caso, lo que realmente interesa destacar aquí es que
en todo este proceso, y por medios diversos, los Estados Unidos llegaron a poseer grandes extensiones de tierras habita-

---

[2] En un discurso, el 25 de mayo de 1836, Gales and Seaton, Washington, DC,
1838, p. 119.

[3] «La Rebelión del Sur fue más bien una extensión de la guerra con México,
pues las naciones, como los individuos, son castigadas por sus transgre-
siones. Nuestro castigo ha sido la guerra más sanguinaria y costosa de los
tiempos modernos.» Citado por William S. McFeely, *Grant: A Biography*,
W. W. Norton, Nueva York, 1981, p. 31.

das por gente de cultura hispana. Luego, en un principio no fueron los hispanos quienes vinieron a esta nación como inmigrantes, sino que fue el propio país el que emigró a tierras anteriormente hispanas.

Este proceso se recuerda todavía con cierta amargura entre los hispanos a ambos lados de la frontera, sobre todo porque los angloamericanos han reescrito la historia de tal modo que esos hechos queden olvidados —o al menos eclipsados. Todavía recuerdo mi ira y asombro cuando, en 1972, un miembro muy educado de la Conferencia General de la Iglesia Metodista Unida declaró con todo orgullo ante esa magna asamblea que su país era la única potencia que nunca se había embarcado en guerras de conquista y expansión. Mientras tal modo de leer y recontar la historia persista en las escuelas, la prensa y los púlpitos estadounidenses, los hispanoamericanos y los descendientes de los habitantes originales del territorio seguirán siendo extraños en las tierras de sus antepasados.

Sin embargo, al mencionar ese proceso de expansión, no es mi propósito reclamar tierras capturadas por la codicia, el engaño y la fuerza bruta, pues hay un antiguo proverbio español que dice que «ladrón que roba a ladrón, ha cien años de perdón». Es muy cierto que la manera en que estas tierras fueron capturadas anteriormente por los españoles no fue más honorable que la manera en que se convirtieron en parte de los Estados Unidos. Se podría aducir que estas tierras les pertenecían a los indígenas nativos, pero todavía sería necesario determinar qué tribus habitaban aquí antes que otras, y quién despojó a quién.

Hay sin embargo dos razones para mencionar brevemente el proceso de conquista y anexión de los territorios españoles. La primera es que ese proceso y sus consecuencias son de suma importancia para entender los sentimientos de muchos hispanos hacia este país y sus promesas de libertades —a lo que he de volver más adelante. En segundo lugar, la historia sirve para mostrar que las raíces de los hispanoamericanos en este país son muy profundas, y que de muchas maneras nuestra historia y nuestra realidad son diferentes de las de los demás grupos de inmigrantes que han venido a formar parte de esta nación. Habiendo mantenido su identidad propia en estas tierras por tanto tiempo, es muy dudoso que los hispanoamericanos terminen asimilándose a la sociedad estadounidense tal como ocurrió con los suecos, irlandeses e italianos.[4] Puesto que en tiempos recientes se ha tomado conciencia del valor de las culturas y tradiciones, y esa tendencia global se manifiesta fuertemente en los Estados Unidos, es de esperar que haya hispanos en estas tierras en el *mañana*, y en cuantos *mañanas* le plazca a Dios conceder a este país. Si los hispanos no perdieron su sentido de identidad cuando se proclamaba el mito del «*melting pot*» en la sociedad estadounidense,[5] no hay muchas

---

[4] Hace poco trabajé en la edición de una historia del metodismo hispano en los Estados Unidos (*Each in Our Own Tongue*, una publicación hecha de manera conjunta entre la General Commission on Archives and History y la United Methodist Publishing House). Puede verse fácilmente a lo largo de esa historia que las iglesias que luego se unieron para formar lo que hoy es la Iglesia Metodista Unida programaron sus estrategias misioneras entre los hispanos sobre la base de lo aprendido en las misiones a otros grupos de inmigrantes. De hecho, hubo tiempos en que se empleaban las mismas estrategias y hasta las mismas estructuras para el trabajo entre mexicanos, italianos y portugueses, como si todos fuesen un solo grupo. De más está decir que tal intento produjo muy pocos frutos.

[5] En décadas pasadas, al hablar acerca de la realidad demográfica y cultural estadounidense, se hablaba del país como una olla de fundición en la que diversos metales y materiales se mezclan para producir mejor acero. Naturalmente, los negros no eran considerados parte de esa gran mezcla. Y de los hispanos prácticamente no se hablaba. Pero sí se decía que los irlandeses, los alemanes y los anglosajones, entre otros, cada cual

posibilidades de que esa identidad se pierda cuando ya ese mito ha sido descartado. Hay todavía algunos hispanoamericanos, sobre todo entre los recién llegados, que creen posible y deseable el que haya una total asimilación de los hispanos dentro de la cultura y sociedad estadounidenses. Sin embargo, la mayoría —y esto incluye a los hijos de muchos que se creían ya asimilados— vuelve a sus raíces históricas y afirma sus rasgos propios, no como algo de que avergonzarse, sino como algo que ha de ser motivo de orgullo y digno de mostrarse en toda oportunidad.

Nuestra unidad crece

Hace sólo algunos años que bien poco les importaba a los puertorriqueños de Nueva York la lucha de los recogedores de cosechas en California, ni a los cubanos de Miami cuál fuese la suerte política de Herman Badillo en Nueva York. Hoy, aunque subsisten los orgullos y prejuicios de grupos, va apareciendo una creciente solidaridad entre los hispanoamericanos —conciencia que, a pesar de su fragilidad, comienza a impactar a nuestra sociedad y nuestras actitudes políticas y culturales. Esto puede tener gran importancia en la política de este país. En el pasado, los hispanos han tenido bastante éxito y fuerza política en algunas de las comunidades donde hay población numerosa de los nuestros; pero no se ha tenido el mismo éxito a nivel del gobierno federal. Esto se ha debi-

---

contribuiría con su parte en la creación de una nueva realidad en la que todas esas viejas identidades se perderían. En tiempos más recientes, a partir del movimiento de identidad negra, y luego en base a movimientos semejantes entre los nativos, los hispanos y otros, esa visión del país y su futuro ha perdido fuerza, y se habla más en términos de un mosaico o un potaje, donde cada cual conserva su identidad, pero se produce también una nueva realidad total.

do principalmente a la falta de coordinación entre los grupos hispanos.[6]

Esta creciente unidad de los hispanos a que me refiero tiene dos aspectos principales: es a la vez social y cultural.

El aspecto social de la identidad hispana se basa en la toma de conciencia acerca de la poca participación que como grupo tenemos en las decisiones que afectan nuestras vidas. En 1982, el ingreso anual promedio entre las familias hispanas era de $16.228, mientras que para el «resto de la población» era de $23.907.[7] No ha habido ningún incremento en este sentido, pues, en términos de dólares reales, los ingresos de los hispanos han mermado consistentemente desde 1979 —con

---

[6] Lo mismo puede decirse cuando de asuntos eclesiásticos se trata. El sistema jurisdiccional ha resultado en detrimento de las causas de los hispanos en mi propia denominación Metodista Unida. Este sistema divide a la nación en jurisdicciones cuya principal función es elegir obispos. El sistema —diseñado originalmente con el propósito de desviar los temores que sentían los estados del Sur de que sus tradiciones fueran abolidas por el resto de la iglesia, especialmente en la elección de obispos negros— ha dividido a los metodistas unidos hispanos. Hay al presente una «conferencia anual» hispana, la de Río Grande, en la Jurisdicción Sur-Central. Hay también grandes concentraciones de población hispana en todas las jurisdicciones. Pero a causa del sistema jurisdiccional, no fue sino hasta 1984 que se eligió el primer obispo metodista unido hispano. Hoy, en el 2006, hay tres: dos hombres y una mujer.

[7] U.S. Department of Commerce, Census Bureau, Conditions of Hispanics in America Today, U.S. Government Printing Office, Washington, DC, 1983, p. 13. En un esfuerzo por ocultar el contraste del nivel económico de los hispanos comparado con el de la población blanca, este documento compara siempre a los hispanos con «el resto de la población», que incluye a los afroamericanos y los indígenas nativos. Si la comparación se hiciera únicamente con la población «blanca», el contraste sería aún mayor. (Según el modo en que se ha construido el concepto de raza en los Estados Unidos, los hispanos y latinoamericanos no son «blancos», sino otra raza aparte, sin importar el color de su piel ni su descendencia genética.)

algunas ligeras mejorías en la década de los 90. Entre 1973 y 1985, los ingresos de una familia hispana típica se redujeron en aproximadamente $2.000.[8] El resultado fue que para 1985, el 39% de todos los niños hispanos vivían bajo el nivel de pobreza.

Hay además, particularmente entre los puertorriqueños, mexicanos, centroamericanos y dominicanos, otro factor no tomado en cuenta por la oficina del censo que hace más grave el nivel de pobreza entre los hispanos. Muchos de nuestros obreros envían a sus países gran parte del salario que ganan, para mantener a sus esposas, hijos, padres ancianos y otros familiares. Por ejemplo, se estima que en 1986 la comunidad salvadoreña envió a su país entre 300 y 500 millones de dólares. Es así como muchos hispanos tienen personas dependientes, pero tales dependientes no son contados ni por el censo, ni por el Servicio de Impuestos (IRS), ya que no residen en los Estados Unidos.[9] Si todo esto se tomase en cuenta en las estadísticas, un número mucho mayor de hispanos quedaría sumido bajo el nivel de la pobreza.

También la tasa de desempleo es más alta entre los hispanos que en el resto de la población. Aunque los números cambian con las fluctuaciones de la economía, el desempleo entre los hispanos se ha mantenido constante en relación con el desempleo en el resto de la población desde 1973: aproxi-

---

[8] *Center on Budget and Policy Priorities*, Washington, DC, publicado el 2 de septiembre de 1986.

[9] En el sistema de impuestos estadounidense, el impuesto a los ingresos se reduce en proporción al número de personas a quienes la persona ha de mantener. El hecho de que para los hispanos muchas de esas personas residen en el extranjero les imposibilita tomarlas en cuenta para estos propósitos, lo cual a su vez aumenta los impuestos que los hispanos tienen que pagar, y por tanto aumenta también el nivel de su pobreza.

madamente el 150% del desempleo general. Ya para 1979, la tasa de desempleo se elevó aún más, y esa tendencia continuó en 1981. En 1982, alcanzó el 13,8%,[10] y así se ha mantenido, con pequeñas fluctuaciones de alzas y bajas.

Junto a esas estadísticas debemos colocar las que se refieren a la educación. En 1983, el 58% de los hispanos entre 25 y 34 años de edad se había graduado de la escuela superior, y el 17% de esa cantidad se había graduado del *college*.[11] Esto representa un incremento sobre las mismas estadísticas en 1970, cuando sólo el 45% entre las mismas edades se graduaba de la escuela superior y el 9% asistía al *college*. Con todo, comparada esta situación con estadísticas similares en el resto de la población, se refleja un balance desfavorable para los hispanos, pues entre ese «resto de la población» (que incluye a otras minorías marginadas, como los negros y los nativos), un 88% se graduaba de la escuela superior y un 28% tenía cuatro o más años de estudios universitarios.[12] Al centrar la atención en adultos de al menos 25 años de edad, estas estadísticas no reflejan la cantidad de personas que se dieron de baja en la escuela pero que luego recibieron sus certificados mediante programas de equivalencias. En realidad, el nivel de deserción escolar, así como el retraso en relación con los estudiantes del resto de la población, es alarmante. Los hispanos abandonan la escuela a un promedio que es el doble del nacional. Por ello, mientras que uno de cada diez estudiantes blancos entre 14

---

[10] U.S. Department of Commerce, Census Bureau, *op.cit.*, p. 11.

[11] En el sistema de educación estadounidense, tras cuatro años de escuela superior («high school») siguen cuatro años de estudios universitarios (college). El título del college es requisito para entrar a escuelas «profesionales» como las de derecho, medicina, teología, etc. También es necesario para la mayoría de los empleos a nivel gerencial, secretarial, etc.

[12] U.S. Department of Commerce, Census Bureau, *op.cit.*, p. 7.

y 20 años de edad se encuentra al menos un año de estudios
por debajo del nivel de sus compañeros, la tasa entre los mé-
xicoamericanos y los puertorriqueños es de uno cada cuatro.[13]

En lo que se refiere al papel de los hispanos en el campo de
la teología académica, las condiciones no son mucho mejores.
En 1985 y 1986, contando a protestantes y católicos, solamente cuatro hispanos completaron un doctorado académico en
una escuela acreditada por la *Association of Theological Schools*
(ATS).[14] Al año siguiente, las estadísticas fueron las mismas.
En cuanto a la matrícula general en seminarios y escuelas de
teología a niveles más bajos, las estadísticas son algo mejores,
pues entre 1972 y 1987 la matrícula hispana, de 264 estudiantes inicialmente, ascendió a 1.386. Sin embargo, aun después
de ese aumento del 425% en quince años, los hispanos (católicos y protestantes) eran solamente el 2,5% de la población
estudiantil en seminarios y escuelas de teología.[15]

La participación del pueblo hispano en los niveles geren-
ciales es ínfima, incluso en la empresas en las que la mayoría
de ese pueblo trabaja. Hasta fecha reciente, el voto hispano no
ha sido tomado en cuenta por los políticos —y todavía no se
le toma en cuenta, excepto en aquellas zonas en las que el gran
número de electores hispanos obliga a los políticos a ello. Por
largo tiempo, aunque las leyes contra la discriminación que se
lograron principalmente a través de la lucha por los derechos

---

[13] W. A. Díaz, *Hispanics: Challenges and Opportunities: A Working Paper from the Ford Foundation*, Ford Foundation, Nueva York, 1984, p. 28.

[14] W.L. Baumgaertner, ed., *Fact Book on Theological Education*, 1985-86, Association of Theological Schools, Vandalia, Ohio, 1986, table F-4, p. 104. Hacia
fines del siglo 20 y principios del 21, este número comenzó a aumentar, en
parte gracias a los esfuerzos de la Hispanic Theological Initiative. Pero ya
para el 2005 comenzaban a escasear los fondos para ese programa.

[15] *Ibid.*, pp. 17,19.

civiles de los negros también debían aplicarse al pueblo hispano, el gobierno federal hizo poco para que así fuese. Bajo la administración de Reagan, el gobierno hizo cuanto pudo para desmantelar o al menos mitigar la legislación contra la discriminación racial, y para neutralizar políticamente a las minorías étnicas. Bajo Bush, aunque la retórica amainó, las mismas tendencias continuaron.[16]

Ante tales realidades, el pueblo hispano se está volviendo más astuto políticamente. Algunos han concluido que los intereses de los hacendados de California que se dedican al cultivo de la lechuga y la vid han hecho su parte por convencer a los exiliados cubanos de Miami de que el esfuerzo por sindicalizar a los obreros rurales de California —mayormente mexicanos— es parte de una gran conspiración comunista. Los mismos intereses han convencido a muchos de los chicanos en California de que todos los cubanos son reaccionarios que no verán valor alguno en el movimiento chicano o en sus planteamientos. Los dueños de edificios de arrendamiento dilapidados y hasta peligrosos en Nueva York y Chicago estimulan y tratan de provocar conflictos entre los puertorriqueños y otros hispanos. En breve, la minoría dominante sigue con el viejo juego de ofrecerle unas migajas a este grupo y una promesa a aquel otro para de ese modo mantenerles separados e impotentes. Por lo tanto, y según se van convenciendo de esa realidad, los hispanos se van uniendo, en parte con base en la clara necesidad política de presentar un frente común ante los poderes que de otra manera nos mantendrían en una condición de inferioridad permanente. Vamos llegando a la conclusión que, aunque procedemos de diversos países

---

[16] Me refería aquí al primer presidente de ese nombre. Bajo el gobierno del segundo, tales condiciones han empeorado notablemente, al tiempo que se utiliza una retórica de inclusión.

y trasfondos, y aunque en muchos puntos diferimos políticamente, en la presente situación, nuestras dos únicas opciones
son unirnos o permitir que se nos ignore.

Por otra parte, todo esto sucede en un momento en el que
por fin el voto hispano se va volviendo cada vez más importante al nivel nacional. Por ejemplo, según el sistema electoral
de los Estados Unidos, el presidente no es electo directamente
por el voto popular, sino por los «electores estatales». El candidato que gana la elección en un estado obtiene la totalidad
de los electores de ese estado, aunque otro candidato haya
obtenido casi la misma cantidad de votos. En consecuencia, lo
importante no es la votación total, sino qué estados gana cada
candidato. En consecuencia, es prácticamente imposible ganar la presidencia sin ganar las elecciones en al menos tres de
los cinco estados de mayor población: California, Texas, Nueva York, Illinois y Florida. Ahora bien, ésos son precisamente
los estados de mayor concentración de la población hispana.
Por tanto, no ha de sorprendernos el que los candidatos presi-
denciales le presten cada día mayor atención al voto hispano,
o que los hispanos empecemos a percatarnos del impacto político que podemos alcanzar mediante nuestra unión.[17]

Al mismo tiempo, aumenta nuestro sentido de solidaridad
con otras minorías. Cuando las revistas nacionales empeza-
ron a publicar artículos sobre los hispanos como la gran minoría de las próximas décadas, afirmando que pronto seríamos

---

[17] Aunque esto fue escrito diez años antes, en las elecciones del año 2000,
unos pocos centenares de votos en el estado de Florida comprobaron la
realidad de esta situación. En 2004, Bush ganó las elecciones porque su
propaganda convenció a más del 40% de los votantes hispanos de votar
por él.

más que los negros,[18] algunos hispanos más ingenuos se rego-
cijaron al ver que por fin se les prestaba atención. Pero otros
se percataron de que todo esto no era sino un caso más de la
antigua estratagema de sembrar discordia entre los diversos
grupos excluidos, y que parte del propósito de tales artículos
era advertirles a los negros y otras minorías: «¡Ojo, ahí vienen
los hispanos!» Poca justicia se alcanzaría si los escasos recursos con que ahora cuentan los negros y otras minorías pasaran
a manos hispanas, mientras que el racismo institucionalizado
y la desigualdad económica y política no cambian. En resumen, nuestra causa es la causa hispana porque somos quienes
somos; pero es también la causa de la justicia por razón de
quienes somos llamados a ser.

Y no nos engañemos pensando que las estratagemas y disi-
mulos que acabamos de describir tienen lugar solamente en la
sociedad «secular». En las iglesias, sus agencias, escuelas y seminarios se juega frecuentemente con las mismas reglas. Así,
a menudo se reserva para «los intereses de las minorías» una
parte del presupuesto, un número de plazas, o ciertos cursos
en el currículo, y entonces se nos insta a que entre las diversas
minorías determinemos cómo distribuir esas migajas, como
si el conflicto fuese entre nosotros, y no con las injusticias del
orden actual.

Decíamos que, además de estos aspectos sociales de nuestra identidad hispanoamericana, existe el aspecto cultural.
Naturalmente, el foco de este aspecto de nuestra identidad
es el idioma español y las tradiciones que se asocian con él.
Durante muchos años —y todavía hoy en algunos círculos—
el idioma fue visto como la gran barrera que impedía nuestro

---

[18] Por ejemplo, en la portada de la revista Time, del 16 de octubre de 1978:
«Hispanic Americans, Soon the Biggest Minority.»

progreso social. A veces la iglesia participó de esa perspectiva, y por tanto hasta fecha relativamente reciente hubo escuelas pertenecientes a las iglesias en las que se les prohibía a los alumnos hablar español, so pretexto de que el propósito de su educación era que vinieran a formar parte del resto de la sociedad y a participar de sus beneficios —aunque siempre cabe la sospecha de que uno de los motivos promotores de tal política haya sido la inseguridad personal de algunos maestros que no querían que sus estudiantes se comunicaran en un idioma que ellos mismos no entendían. Los padres hablaban su pobre inglés en la casa, despreciando el español, con la esperanza de que sus hijos no tendrían que pasar por las duras experiencias que ellos pasaban. Puesto que toda la educación formal ocurría en inglés, en muchas de nuestras comunidades, el español como instrumento de comunicación precisa se perdió, y continuó existiendo soló como un lenguaje menos desarrollado en el que uno podía expresar solamente lo aprendido en la cuna —temas que, aunque menos sofisticados, son los elementos más importantes de la vida. El resultado fue que los hispanos, carentes de contacto con los mejores logros intelectuales y artísticos de las culturas de España y América Latina, y capaces de hablar solamente un español subdesarrollado con capacidades limitadas de expresión, se veían fuertemente tentados a concluir que era cierto lo que se decía de ellos y de su cultura en los medios de comunicación, en el modo en que se enseñaba la historia, y hasta en la manera en que la sociedad estaba organizada y jerarquizada.

Todo eso se va volviendo cosa del pasado. Las nuevas generaciones hispanas, estimuladas por el ejemplo de los afroamericanos y de otras minorías, están retornando en busca de sus raíces culturales.[19] Así, por ejemplo, en los recintos universitarios están insistiendo en que se ofrezcan cursos en español. Están exigiendo una educación pública bilingüe, no como un remedio para quienes no tienen la fortuna de hablar inglés en el hogar, sino como un modo de recalcar los valores y ventajas de ser bilingüe.[20] En medio de tal proceso, el pueblo hispano en los Estados Unidos se va percatando cada vez más de los estrechos horizontes tribales que predominan en el país. Así, por ejemplo, nos preguntamos: ¿cómo es que cuando una empresa editorial decide publicar una serie de volúmenes bajo el título de «The Annals of America», tales anales incluyen tan poco sobre las raíces hispanas del país?[21] ¿Por qué es que las artes, la literatura y la historia de España se desconocen tanto en el país, especialmente cuando se les compara con las de Francia o Alemania? El mismo nombre que le dan comúnmente al país, «América», nos lleva a preguntarnos: ¿qué insólita arrogancia lleva a un país a apropiarse el nombre de todo un hemisferio? ¿Qué dice ese mismo hecho

---

[19] Al momento de revisar esta traducción para enviarla a los editores castellanos, el gobierno federal estadounidense acaba de publicar un informe sobre los nombres más comunes dados a los niños nacidos en 1998. Tanto en California como en Texas, tal nombre es «José».

[20] El debate sobre la «educación bilingüe» ha producido gran confusión respecto a los objetivos de tal programa, cuyo propósito es casi siempre que los estudiantes se integren a la cultura general y no que aprendan a funcionar en dos culturas. En vez de ser una verdadera educación bilingüe, el programa se ha convertido en un remedio para que los estudiantes cuya lengua materna no es el inglés puedan funcionar junto a sus compañeros de habla inglesa. Tal remedio no es malo, pero no es educación bilingüe. La verdadera educación bilingüe busca producir estudiantes capaces de funcionar adecuadamente en dos idiomas. Llamar «educación bilingüe» a tales remedios es decir que el bilingüismo, antes que ser un valor, es un estorbo, y que el propósito es que quien se educa se olvide de su idioma nativo para funcionar sólo en inglés.

[21] The Annals of America, 20 vols., Encyclopaedia Britannica, Chicago, 1968.

acerca del modo en que ese país ve sus relaciones con las otras naciones con las que comparte el hemisferio?[22]

Este proceso de despertar cultural es un factor positivo. Al regresar a sus raíces culturales, las generaciones más jóvenes entre los hispanos de los Estados Unidos están manifestando y alcanzando un nuevo sentido de identidad y dignidad. Se trata de un proceso de liberación para ser quienes son, y para determinar su propio futuro de acuerdo a sus propios valores y metas, y no de acuerdo a las metas y valores establecidos por otros. Ciertamente, hay peligro en ello, pues toda liberación conlleva riesgos. Sin embargo, sin tal liberación y riesgo es imposible ser las criaturas que Dios desea que seamos.

Esto no quiere decir, por otra parte, que tal despertar de la cultura y tradiciones hispanas ha de identificarse con la liberación que Dios busca y propone para toda su creación. La cultura tiene indudablemente una dimensión liberadora para quienes se ven oprimidos por valores y medidas establecidos por otras personas. Sin embargo, hay cierto modo de entender la «cultura» que no es sino otra forma de opresión. Cuando así se le entiende, la «cultura» es todo un sistema de valores y medidas que la cúpula establece y fomenta a fin de justificar su propio poder, y de mantener supeditada al resto de la población. La «cultura» de cada grupo o nación, en ese sentido

---

[22] El estudio de términos tales como «América» y «americanismo», de su uso tanto en inglés como en español, así como de la manera en que ese uso ha evolucionado, podría contribuir de manera significativa al estudio de las ideologías del siglo 20. En los primeros años después de la II Guerra Mundial, todos los países latinoamericanos compartían lo que se llamaba «el panamericanismo». Todos sentían el orgullo de apoyarse unos a otros en el mantenimiento de sus instituciones democráticas —o al menos eso era lo que se enseñaba en muchos sistemas escolares. Aun en los actos y funciones escolares se cantaba el «Himno Panamericano». Hoy apenas se habla de «ideales panamericanos» en América Latina.

«clásico», alcanza normalmente su cumbre cuando esa nación o grupo se encuentra en el cenit de su poderío. El punto culminante de la cultura española, el «siglo de oro», fue también el punto culminante del imperialismo español; y esa cultura —incluso su religión— fue empleada para subyugar a las poblaciones supuestamente incultas que habitaban este hemisferio. Por lo tanto, aunque hoy en este país la cultura hispana bien puede tener una dimensión liberadora y dignificante para nuestro pueblo, también es importante que recordemos que esa cultura se desarrolló y tomó forma con los faraones de los siglos 16 y 17.[23] Como veremos más adelante, nuestra tradición puede proveernos valiosas ventanas que nos permitirán vislumbrar nuevas dimensiones en el evangelio. Pero es importante que no hagamos de nuestra «cultura» un ídolo que sirva para oprimir a otros hispanos que no hablan como nosotros, o que por diversas razones y presiones sociales no

---

[23] Un dato curioso es que, aunque el idioma español se estudia en los Estados Unidos, se hace de una manera que denigra a los hispanos de origen latinoamericano, pues lo primero que se les dice a los estudiantes es que existen dos clases de español: el «Castillian» y el «Latin American Spanish». La implicación de esto es que lo que se habla en Latinoamérica es una corrupción del idioma español. Lo cierto es que el nombre oficial del idioma en ambos lados del Atlántico es «castellano». Hay otros idiomas españoles como el gallego y el catalán, que tienen su propia gramática y literatura. La otra cosa que se olvida al hacer tales distinciones en las aulas estadounidenses es que entre las dos formas de español que se alegan no existen diferencias tan marcadas como las que hay entre el inglés británico y el estadounidense, pues no tenemos una ortografía diferente, mientras que sí existe un «American spelling» diferente de la ortografía británica. Finalmente, hay que recordarles a tales «expertos» que hay en España millones que hablan lo que los estadounidenses llaman «español latinoamericano». Por todo esto, uno sospecha que la razón que tienen para exagerar nuestras diferencias con España (¡pues hay que recordar que España es parte de la tradición europea!) es el deseo de estudiar y enseñar el idioma sólo para fines literarios, y no para involucrarse con el pueblo que lo habla en nuestras propias comunidades.

han tenido la oportunidad de aprender «bien» el idioma de sus antepasados. Lo que será de importancia capital en nuestros esfuerzos por recuperar las dimensiones liberadoras del evangelio no será el que participemos o no de la cultura española, sino el que participemos, junto a la iglesia antigua, a Jesús y sus apóstoles, a los negros y los nativos, en la condición de minoría marginada, a quienes Dios llama a novedad de vida. Es desde esa perspectiva que es necesario reeditar toda la teología cristiana —como ya se va haciendo conforme avanza la reforma de nuestros tiempos.

Decíamos que nuestra identidad hispana tiene dos focos: el sociopolítico y el cultural. Mientras este último es exclusivamente nuestro y nos distingue de otros grupos, el primero es algo que compartimos con otros grupos marginados en el país —y en el resto del mundo. Es por esa razón que este ensayo fue escrito originalmente en inglés. En castellano, se hubiera dirigido exclusivamente a la comunidad hispana. Con ello se correría el riesgo de que contribuyese al distanciamiento entre los diversos grupos marginados, que es una de las principales razones por las que rara vez se cuestionan el poder y los prejuicios de la supuesta «mayoría» dominante —que en realidad, en los Estados Unidos de hoy, no es sino otra minoría. En inglés, lleva la esperanza de ser parte del creciente diálogo entre el pueblo hispano y otras minorías de los Estados Unidos.

Allende la inocencia

Cuando aquel caballero a quien ya he mencionado se puso de pie ante la Conferencia General de la Iglesia Metodista Unida en 1972 y declaró que Estados Unidos es la única gran potencia que nunca se ha involucrado en guerras de expansión territorial, creía sincera e inocentemente en la verdad de lo que decía. Empero tal inocencia no exonera de culpa. Es, al contrario, una inocencia culposa. No es la inocencia del Edén primigenio, sino más bien la de Adán y Eva, quienes pretenden esconder su desnudez con unas hojas de higuera, y a la postre esconderse hasta de Dios, para no tener que enfrentarse a la realidad de su pecado. Es la inocencia de una culpa tan profunda y amenazadora que el único modo de responder a ella es intentar suprimirla.

La historia estadounidense, tal como se enseña en las escuelas primarias y en cierto grado hasta en las universidades, es culpable de tal inocencia. Los «padres peregrinos» —poco se dice de las «madres»— vinieron a estas tierras en pos de libertad religiosa, y por ello ésta fue tierra de libertad desde sus mismos inicios. El hecho de que casi todos aquellos fundadores le negaban una libertad semejante a quien no estuviese de acuerdo con ellos se menciona de pasada, pero no se permite mancillar el mito primigenio. Entonces los «padres revolucionarios» declararon su independencia, principalmente en nombre de la libertad. El hecho de que esto era en buena medida la libertad de enriquecerse y de arrebatarles sus tierras a los indígenas rara vez se menciona —y si se menciona, no es más que una nota al calce, que no ha de oscurecer los altos motivos de la epopeya emancipadora. (A veces me pregunto qué sucedería hoy si los negros, los hispanos y otras minorías nos negásemos a pagar nuestros impuestos, apelando al principio de que los impuestos sólo son válidos si quienes han de pagarlos están representados en el gobierno que los impone —lo cual fue uno de los principios de la lucha estadounidense por la independencia.) Rara vez escuchamos siquiera una palabra sobre cómo los dirigentes del movimiento independentista codiciaban las tierras de los indios, y que parte de su ira hacia los británicos era por el hecho que las autoridades inglesas no les permitían la expansión territorial que deseaban. Sí se nos habla de los desafortunados cheroquíes y su «sendero de lágrimas», pero se nos los presentan de tal modo que nos imaginamos que esa tragedia fue un incidente desafortunado o un crimen aislado, cuando lo cierto es que fue parte de un patrón que continuó por varias generaciones. En el léxico del país, se dice que el Oeste fue «ganado». Pero cómo sucedió eso y quién lo perdió no son parte de la conciencia nacional. Y se nos habla de la gran expansión estadounidense en el mercado mundial, de las inversiones estadounidenses en ultramar, y de cómo defendemos la libertad y los derechos humanos en tierras lejanas. Pero no se nos dice con cuánta frecuencia nuestras fuerzas armadas, aun sin saberlo, en realidad han estado defendiendo las inversiones de nuestras corporaciones.

Todo esto, y mucho más, queda oculto a la conciencia nacional. Pero es importante que no nos engañemos. Si el pueblo no sabe esto, es porque no quiere saberlo. Si alguien señala tales realidades con demasiada insistencia, se le tilda de maledicente o de resentido, y ya con eso no hay que escucharle. Y es precisamente en esa inocencia voluntaria que yace la culpa. En verdad, la razón por la que el pueblo no quiere escuchar tales cosas no es, como a menudo se nos dice, el respeto a los héroes del pasado. La razón por la cual el país se ha negado a escuchar la verdad de su propia historia es que, mientras no la conozca, no tiene que enfrentarse a las injusticias que hasta el día de hoy sirven de fundamento a su propio orden social y económico. Si los peregrinos, los patriotas y los pioneros del Oeste fueron puros y justos, entonces el orden que ha resultado de sus acciones debe ser puro y justo, y tenemos la gran fortuna de haberlo heredado, y la obligación de defenderlo. Cualquier otra actitud no es sino falta de gratitud y de patriotismo.

Los hispanos, en contraste, hemos tenido que enfrentarnos a otra clase de historia. Siempre hemos sabido que nuestros antepasados no estuvieron exentos de culpa. Nuestros antepasados españoles les arrebataron la tierra a nuestros antepasados indígenas. Algunos de nuestros antepasados indígenas practicaban sacrificios humanos y hasta el canibalismo. Algunos de nuestros antepasados españoles violaron a nuestras antepasadas indígenas. Algunos indígenas traicionaron a su pueblo y tomaron el partido de los españoles. Los españoles, a su vez, supieron explotar viejas guerras y enemistades entre los diversos pueblos indígenas. No es una historia hermosa ni fácil de contar. Pero sí es mucho más verídica que la que pretende que los europeos vinieron a estas tierras por motivos altruistas o puros, y que cualquier abuso de los habitantes originales fue una excepción, más que la regla. Y es también una historia que termina causando dolores de identidad.[24]

Como hispanos, debemos decir que nuestra historia no es inocente. Tenemos, sí, nuestros héroes, cuyas acciones nos proveen inspiración y fuerzas. Pero nuestros héroes no llevan siempre sombreros blancos, como los de las películas del oeste estadounidense —y, dicho sea de paso, el «cowboy» de esas películas no es creación de la cultura anglosajona del oeste, sino una réplica del antiguo «vaquero» mexicano. A veces sentimos nostalgia y envidia por esa inocencia épica de la historia oficial anglosajona —la dicha de poder pensar que, haciendo a un lado algunos errores excepcionales, tanto nuestros antepasados como nosotros siempre hemos estado de parte de la justicia y la verdad. Sin embargo, tal inocencia

---

[24] Como lo muestra abundantemente Rodolfo Gonzales en su obra *Yo soy Joaquín: An Epic Poem*, Bantam, Nueva York, 1967).

nos elude; y por ello debemos dar gracias, pues en realidad se trata de una inocencia culposa.

En este país, esa inocencia culposa va de la mano de la injusticia. La injusticia se nutre del mito según el cual el orden presente es el resultado de intenciones puras en un pasado sin mancha. Por ejemplo, mientras alguien pueda pararse ante una asamblea eclesiástica y declarar con toda sinceridad e inocencia que esta nación nunca se ha involucrado en guerras de conquista —y, sobre todo, mientras la asamblea irrumpa en aplausos, como lo hizo aquélla en 1972—, no cabe esperar que se les haga gran justicia a aquéllos cuya opresión es el resultado de guerras que ahora resulta nunca tuvieron lugar. Por ello, cuando insistimos en crear conciencia ciudadana en los Estados Unidos acerca de la guerra con México —quizá sería más acertado decir «*contra* México»— no lo hacemos por una mala voluntad soez, ni siquiera para reclamar las tierras que fueron tomadas tanto tiempo atrás. Después de todo, una vez más, «ladrón que roba a ladrón, ha cien años de perdón». Lo hacemos más bien con la esperanza de que la población alcance a reconocer que el orden presente no se debe sencillamente al duro esfuerzo, valiente osadía e individualismo tenaz de los antepasados de quienes hoy dominan, sino también, en una palabra, al robo. Quizá, tras llegar a la conclusión de que todos somos ladrones, se nos hará más fácil ver dónde radica la justicia.

Esta es una de las funciones de la minoría hispana en los Estados Unidos. No es una función placentera, puesto que son pocos los que aman o siquiera perdonan a quienes cuestionan los mitos fundamentales de su vida. Pero es una función esencial que tenemos que cumplir.

Luego, a la pregunta «¿quiénes somos?», respondemos: Somos quienes desde nuestros propios orígenes hemos tenido que vivir allende el mito de la inocencia.

Junto a los ríos de Babilonia

Por último, los hispanos en este país somos un pueblo en el exilio. Muchos somos exiliados en el sentido literal y cotidiano. Por diversas razones, hemos dejado nuestras tierras natales y llegado a éstas. Algunos somos exiliados políticos. Estamos aquí, al menos en el sentido inmediato, porque no concordábamos con los regímenes o las condiciones políticas de esas tierras, y los Estados Unidos nos ofrecieron refugio —o, en el caso de muchos que vinieron huyendo de dictaduras de derecha, lo tomamos sin que se nos ofreciera.[25] Otros somos refugiados económicos. En nuestros países de origen se nos hacía imposible o harto difícil la existencia física, y optamos por seguir el ejemplo de quienes antes vinieron a los Estados Unidos como inmigrantes de Escocia, Inglaterra, Irlanda o Alemania. Otros somos «refugiados ideológicos». La propaganda procedente de este país fue tal que se nos convenció que sus valores y estilo de vida eran superiores a los de nuestros países, y que por tanto nos sentiríamos mejor acá. La mayoría de nosotros somos el resultado de varios de esos factores. Si, por cualquier razón, el volver a residir en la tierra que nos vio nacer no es ya una opción viable, y si hemos echado nuestra suerte en esta tierra adoptiva, ya no somos

---

[25] Ver Renny Golden y Michael McConnell, *Sanctuary: The New Underground Railroad*, Orbis, Maryknoll, Nueva York, 1986, pp. 65-67; Fernando Santillana, «La experiencia espiritual en el trabajo de santuario», Apuntes 5, 1985, pp. 68-71, y «¿Refugiados económicos o víctimas?», Apuntes 4, 1984, pp. 81-86.

latinoamericanos exiliados provisionalmente, sino parte de la población hispana de los Estados Unidos. No tenemos otra tierra que ésta, y sin embargo seguimos siendo exiliados.

Hay entonces otras personas que no son exiliadas en el sentido de haber dejado sus tierras para venir acá. Nacieron aquí. En muchos casos, también nacieron acá sus padres y sus abuelos. Pero esas personas también son exiliadas en el sentido de vivir en una tierra que no les es propia. A pesar de ser ciudadanos estadounidenses de nacimiento, no lo son a plenitud, y por tanto son exiliados en una tierra que, a pesar de ser suya, sigue siendo extraña.

Ambos grupos viven en la ambigüedad. Los exiliados literales viven en la ambigüedad de la gratitud y la ira. Viven agradecidos porque este país les ofreció —o sin quererlo, les dio— un refugio que otros les negaron. Pero también viven con ira, principalmente por dos razones: Primero, porque un número creciente se va percatando de que, a pesar de haber dejado su propia patria y tratar de echar raíces en ésta, serán por siempre exiliados, residentes en una tierra extraña que les da la bienvenida hasta cierto punto, pero no les permite entrar más allá de ese punto. Y segundo, porque muchos se van percatando de que los Estados Unidos, su tierra de refugio, es también la tierra que fue motivo de su exilio. Los exiliados políticos descubren la complicidad de los intereses estadounidenses en los acontecimientos que a la postre les obligaron a partir al destierro. Los exiliados económicos se van percatando de que la pobreza en sus tierras natales es la otra cara de la moneda de la riqueza de su tierra adoptiva. Los exiliados ideológicos descubren que todo lo que oían en sus países sobre la libertad y la igualdad, sobre todo cuando era cuestión de oponerse a los enemigos de los Estados Unidos, no se oye tanto acá cuando se trata de brindar libertad e igualdad a las minorías étnicas y a los pobres.

Los hispanos nacidos en este país también viven en ambigüedad. No tienen otra patria. Nunca la han tenido. Y sin embargo, de mil maneras, tanto explícitas como implícitas, se les dice que éste no es su hogar, que regresen al suyo. ¿Al suyo? ¿Dónde? No tienen otro hogar ni otra patria. Nunca los han tenido. Y sin embargo, éste no es cabalmente suyo. En el hogar propio, uno se siente libre para cambiar el mobiliario, o al menos para discutir con otros miembros de la familia dónde ha de colocarse cada mueble. Pero cuando en este supuesto hogar los hispanos —aun los nacidos acá— empiezan a hablar de cambiar el mobiliario, se les dice que se ocupen de sus propios asuntos, y no de los ajenos.

Eso es lo que somos: un pueblo en el exilio.[26] Junto a los ríos de Babilonia hemos de vivir y morir. Junto a los ríos de Babilonia cantaremos los cánticos de Sion. Nuestra Sion no es ya la patria que nos vio nacer, aun cuando todavía la amamos, puesto que esa patria está por siempre fuera de nuestro alcance —y además porque, sabiendo que nuestra historia no es inocente, jamás podremos identificar tal patria con Sion. La Sion de que cantamos, la Sion que añoramos, la Sion hacia la cual marchamos, es el orden venidero de Dios, donde se sentará cada cual debajo de su vid y debajo de su higuera, *y no habrá quien los amedrente* (Mi 4.4). Y mientras aguardamos ese día, bien puede resultar que, como exiliados que somos,

---

[26] Esa es la razón por la que los asuntos de inmigración juegan un papel tan importante en nuestras discusiones teológicas. Ver Francisco O. García-Treto, «El Señor guarda a los emigrantes (Salmo 146.3)», Apuntes 1, no. 4, 1981, pp. 3-9; Jorge Lara-Braud, «Reflexiones teológicas sobre la migración», Apuntes 2, 1982, pp. 68-71, y «El divino migrante», Apuntes 4, 1984, pp. 14-19.

podamos compartir con el resto del pueblo de Dios algo de lo que significa ser pueblo peregrino, seguidores de Aquél que no tuvo dónde reposar la cabeza.

3

EL CONTEXTO

Al desarrollar una teología hispana e implementar su enseñanza en nuestras iglesias y escuelas teológicas, es de vital importancia que entendamos esa teología en su contexto histórico. Como teólogo e historiador de la iglesia, sospecho que los historiadores de siglos venideros se referirán a la «Reforma del siglo 20» —continuada en el 21— en términos parecidos a los que usamos hoy para referirnos a la Reforma del siglo 16.[1] De hecho, la iglesia de hoy día experimenta profundos cambios en la manera en que se percibe a sí misma, y es muy posible que las consecuencias de esos cambios sean más drásticas que las de los cambios ocurridos en el siglo 16. La teología hispana, cuyos primeros pasos se afianzan entre nosotros, es sólo un aspecto de esa gran reforma y sólo puede comprenderse dentro de su amplio contexto.

Acontecimientos y macroacontecimientos

Los historiadores han demostrado repetidamente que la Reforma del siglo 16 ocurrió en el contexto de realidades históricas que los propios reformadores conocían o comprendían

---

[1] Por esa razón, el título del libro de Richard Shaull resulta particularmente apropiado: *Heralds of a New Reformation: The Poor of South and North America*, Orbis, Maryknoll, Nueva York, 1984.

escasamente. La reforma presente, tal como la del siglo 16, se desarrolla en medio de una serie de «macroacontecimientos» —sucesos y procesos cuyas dimensiones y alcance no son fácilmente visibles, a menos que nos distanciemos de los acontecimientos cotidianos y pongamos nuestra atención en los procesos más amplios que han tenido lugar en los últimos siglos.

El primero de esos macroacontecimientos ha sido señalado repetidamente, aun cuando la iglesia rehúsa aceptar sus consecuencias seriamente. Me refiero al llamado «fin de la era constantiniana». Desde el siglo 4 de nuestra era, la iglesia ha vivido en condiciones políticas y sociales muy ventajosas. Pese a la oposición de ciertos sectores, como lo mejor de la tradición monástica, el cristianismo ha existido en alianza con el orden social, y de él se ha beneficiado. Esa posición de privilegio comenzó a perderse con el fin de la Edad Media, y luego esa pérdida se aceleró como consecuencia de la Revolución Francesa, las revoluciones de 1848 y la Revolución Rusa, así como las revoluciones y movimientos de independencia en América Latina y otras partes del mundo. La reacción cristiana frente a esa pérdida de privilegios ha sido, en algunas partes del mundo y ciertos sectores de la iglesia, intentar recapturar el pasado, ya sea de manera real o ficticia. Este caso se da claramente en los Estados Unidos, cuyo proceso de «desconstantinización» ha sido más lento que en otras partes del mundo, y donde la «Nueva Derecha» defiende los viejos males a nombre de la «civilización cristiana». Dentro del catolicismo romano, movimientos como el Opus Dei y otros exhiben el mismo tipo de mentalidad. Estos son, con toda seguridad, los últimos disparos de la retaguardia por parte de un ejército en retirada. Los protagonistas de ese tipo de mentalidad podrán ganar una o dos elecciones. Podrían incluso tratar de conver-

tir a los Estados Unidos en un estado fascista. Lo que parece
ser inevitable es que sus pretensiones están condenadas al
fracaso.

El segundo macroacontecimiento está estrechamente relacionado con el primero. Me refiero a la decadencia de los
países del Hemisferio Norte, al menos desde la perspectiva de
muchos en los países del Hemisferio Sur. Al hablar de «macroacontecimientos», tendemos a pensar en grandes confron-
taciones entre las naciones del Oriente y las del Occidente.[2]
Lo que le preocupa a nuestra prensa es cuál será el próximo
movimiento político o militar de los soviéticos, quién será el
presidente de los Estados Unidos, o si son los Estados Unidos
o los rusos quienes tienen el mayor arsenal nuclear. No debemos permitir que esas preocupaciones distraigan nuestra
atención y así nos oculten el segundo macroacontecimiento,
es decir, el hecho de que el siglo 20 se ha quedado corto ante
las expectativas y promesas de los países del Hemisferio Norte en el siglo 19. Las personalidades más prominentes del siglo 19 pronosticaban que el Occidente —lo cual en realidad
quería decir «los países del Atlántico del Norte»— inaugu-
raba una era de prosperidad para toda la humanidad. Hasta
Simón Bolívar buscaba dirección y apoyo para sus ideales en
América Latina en la vida de países como Inglaterra, Francia y
los Estados Unidos. Los primeros gobiernos latinoamericanos

---

[2] Cuando estas páginas se escribieron originalmente en 1988, la Unión Sovié-
tica era vista todavía como la gran amenaza a la «civilización occidental».
Los acontecimientos más recientes muestran que lo que dije entonces era
cierto. No lo he eliminado en esta nueva traducción y edición porque lo
que dije entonces y el que la historia ha confirmado el juicio hecho en
aquel momento nos alerta sobre la necesidad de tratar de enmarcar los
supuestamente grandes acontecimientos que ocupan las primeras páginas
de los diarios dentro de las perspectivas más amplias de lo que aquí llamo
«macroacontecimientos».

buscaban relacionarse con las potencias occidentales, entendiendo que ésa era la única vía hacia el progreso y mejora del nivel de vida de sus pueblos. (Debo añadir, aunque sea de pasada, que esto contribuyó de manera significativa al establecimiento de las primeras misiones protestantes en América Latina, así como al fomento por parte de los gobiernos latinoamericanos de la inmigración de escoceses, alemanes, escandinavos y otras personas de tradición protestante.) Esa misma actitud florecía con más fuerza todavía en el Atlántico del Norte, donde se hablaba de «la responsabilidad del hombre blanco» de llevar la civilización, el cristianismo y el progreso material —todo en un solo paquete— a las naciones pobres del mundo. (El «destino manifiesto» norteamericano no fue sino la versión estadounidense de lo mismo.)

En cierto modo, la Revolución Rusa fue una promesa tardía dentro de las expectativas ofrecidas por el Norte. Lo que Rusia prometía era el inicio de una era en la que, bajo su dirección, la justicia y el progreso cubrirían el mundo. Tal como las demás promesas del Norte, la rusa también encontró audiencia en los países del Sur, donde muchos dedicaron sus vidas a la materialización de los ideales rusos. Con el paso de los años se les hizo evidente a los países pobres que los rusos eran tan imperialistas como el que más; que igual que los demás en el Norte, deseaban el control mundial y por tanto, que intentar liberarse del imperialismo del Oeste —realmente, el del Noroeste— por la vía del Este —realmente, la del Nordeste— no resultaba muy prometedor para los países pobres. Esa es la razón por la que los partidos comunistas en el Sur, tan asediados por la CIA, tienen poco atractivo en los países pobres, y además muchos de los líderes de la izquierda política los consideran impertinentes.

En cierta medida, y por cierto tiempo, las promesas del Norte se hicieron realidad. La contribución del Norte al Sur y a toda la humanidad es evidente en las ciencias médicas, la lucha contra el analfabetismo, las técnicas agrícolas, los medios de transporte y la tecnología en general. No puede negarse que esta contribución ha impreso su marca, y que el éxito del Norte en esas áreas les ha dado credibilidad a sus promesas hasta el día de hoy. Como comentaba un escritor cristiano del siglo segundo, el error tiene poder gracias a la medida de verdad que contiene.[3]

En otro nivel, esas promesas cobraron un mal sabor. Ejemplo de ello es el desarrollo agrícola mediante nuevas técnicas y maquinarias, así como las facilidades para transportar los productos a los mercados mundiales. La esperanza de desarrollo económico que esto creó en los países del Sur fue grande. Sin embargo, el resultado neto ha sido el incremento de la agricultura de exportación, trayendo en consecuencia más hambre e inestabilidad a los países mal llamados «subdesarrollados». Quien diga que la presente tenencia de la tierra y la crisis de la producción agrícola en América Latina se deben a un «feudalismo medieval» no conoce los verdaderos hechos. El sistema actual es resultado de un supuesto «desarrollo» que, siguiendo los patrones provistos por el Norte, se implantó en el Sur durante el siglo 19 y principios del 20. Por ejemplo, los problemas sociales en América Central se relacionan directamente con el hecho de que grandes extensiones de tierra dedicadas antaño a la producción de alimentos para la población se usan ahora para la producción de carnes y frutas para la exportación. Si la tierra no hubiese sido «desarrollada», su valor sería menor, y los campesinos, aun

---

[3] Ireneo, Adv. haer., praef.

sin título de propiedad, todavía la cultivarían con sus implementos primitivos. Pero ahora, con carreteras, ferrocarriles, refrigeración y cosas por el estilo, la tierra se ha convertido en parte de la economía mundial, y los campesinos son más pobres al ser despojados de la tierra, mientras que el «país» —en otras palabras, las clases gobernantes— es cada vez más rico. Las tierras que los campesinos de Filipinas habían trabajado por generaciones, aun sin poseer documentos de tenencia, les han sido arrebatadas y entregadas a los tractores y arados de compañías estadounidenses que, por huir de los sindicatos y leyes laborales en Hawai, han acudido a Filipinas en busca de tierras para la producción masiva de la piña, incrementando con ello el PNB del país, pero sumiendo a su población en la miseria.[4] Los ejemplos abundan; empero el punto es que en nuestros tiempos los pueblos sufren en gran manera la presencia de este segundo macroacontecimiento, es decir, la incapacidad del Norte de cumplir sus viejas promesas. El resultado es trágico para los pueblos. Podría decirse que tal como les ocurrió a los campesinos alemanes del siglo 16, quienes se rebelaron contra una opresión creciente, lo que ahora ocurre no es sólo la continuación de añejas injusticias, sino su incremento.

El conflicto Este-Oeste, que ha dominado nuestra visión de los acontecimientos mundiales, no es sino otro ejemplo —quizá el mayor ejemplo— de la decadencia del Norte. Lo que se ha llamado «la civilización occidental» —que en realidad ha sido la civilización noratlántica— se divide en Este y Oeste. Ambos son igualmente parte de ese Norte incapaz de parir

---

[4]   Cito este incidente sólo como ejemplo de lo que ocurre constante y repetidamente en los países «en desarrollo». Hay un conmovedor artículo sobre el caso de las Filipinas y la corporación piñera Del Monte: Paul Brubaker, «Martial Law Pineapples», en *Sojourners*, octubre de 1978, pp. 16-18.

la criatura prometida. Ambos exportan al Sur su animosidad mutua, para librar allí sus batallas, que de librarse en el Norte resultarían demasiado costosas.

La carrera armamentista es otra prueba del fracaso del Norte. El «hombre blanco», cuya misión fue salvar a la humanidad, nos ha llevado al borde de la destrucción y la ruina. Ese hombre es ahora incapaz de detener su criatura bélica — alimentada, al menos en el Oeste, por los muchos intereses económicos que lucran con la histeria armamentista, justificada en lo que llaman la «ventana de vulnerabilidad» —, es decir, la posibilidad de un ataque nuclear. Los dos colosos del Norte han sido comparados acertadamente con dos personas paradas en un charco de gasolina que les llega hasta la cintura, y que se dedican a discutir acaloradamente sobre cuántas cerillas cada cual puede tener. Difícilmente podría tal cuadro inspirar la confianza del Sur o justificar la posición de liderato que el Norte ha mantenido por décadas.

El fracaso del Norte puede verse incluso en lo que muchos consideran su señal de éxito más grande: el movimiento migratorio hacia el Norte. A primera vista podría decirse que el que multitudes crucen diariamente el Río Grande y que muchos que no lo han hecho estarían dispuestos a hacerlo es una prueba del éxito del capitalismo norteamericano. Como dirían algunos, tales inmigrantes «votan con los pies» a favor del orden económico y político de los Estados Unidos. Esto puede decirse sólo desde una perspectiva muy limitada. Cuando se toma en cuenta que el capitalismo euroamericano se anunció como la salvación para toda la humanidad, y si recordamos particularmente que en América Latina ese sistema se introdujo hace más de un siglo, entonces el intento de las masas por cruzar la frontera no puede ser la vindicación del sistema, sino su acusación por inoperancia. Si después de

siglo y medio de neocolonialismo del Norte en el Sur las condiciones son tales que la gente se ve forzada a dejar atrás su
tierra amada, eso demuestra que el sistema no es bueno, sino
que crea grandes desigualdades entre los colonizadores y los
colonizados. Es cierto que en esta ola migratoria tanto los que
tratan de cruzar la frontera como los que tratan de impedir-
lo desconocen la relación entre el «desarrollo» del Norte y el
«subdesarrollo» del Sur, y que para tales personas la presión
que se ejerce en la frontera es una indicación del éxito del Norte. De hecho, esta cuestión del modo en que se interpretan el
supuesto éxito del Norte y el fracaso del Sur afecta a muchos
hispanos en los Estados Unidos en relación con su identidad.
Pero cuando se hace un análisis económico de la situación,
se establece de inmediato una relación de causa y efecto que
demuestra que nuestra presencia en este país no se debe a los
éxitos del Norte, sino a su fracaso, ya que el Norte se ha desarrollado a costa de la explotación del Sur.

El tercer macroacontecimiento de nuestros tiempos es la
creciente toma de conciencia de muchos que hasta hace muy
poco permanecían en silencio. En cierto modo, ésta es la respuesta de los países del Sur a los fracasos del Norte, aun cuando este tercer macroacontecimiento va mucho más lejos. Hace
unas cuantas décadas se hablaba entre los líderes de las misiones mundiales de la decadencia de las más antiguas y grandes
religiones del mundo. Veían en ellas una pérdida de la vitali-
dad y hasta la posibilidad de desaparecer. Algunos llegaron
a vaticinar una nueva era constantiniana para el cristianismo
en China, Japón y algunas regiones del África. Sin embargo,
el islamismo ha resurgido como una gran fuerza política y
religiosa. La sorpresa ha sido grande para algunos teólogos y
filósofos europeos y norteamericanos, quienes tras anunciar
el inicio de una «era secular» han tenido que ver cómo los

monjes budistas se inmolan a sí mismos en defensa de su fe; los ayatolás llegan al poder en Irán, y la Iglesia Católica de América Latina, letárgica por muchos años, se involucra en la lucha de los pobres por causa de la justicia. Muchos ciudadanos estadounidenses no salen de su asombro, y hasta les irrita el que en la Organización de las Naciones Unidas, las «grandes potencias» ya no tienen tanto poder. Bajo la típica miopía norteña, culpan a los rusos, sin percatarse de que también los rusos van perdiendo su poder y autoridad.

Este tercer macroacontecimiento va más lejos que la cuestión Norte-Sur. Hay muchas personas y grupos, tanto en el Norte como en el Sur, a quienes por generaciones se les negó el derecho a la expresión. Tales grupos y personas reclaman ahora ese derecho.

La conciencia de clase a la que han despertado esos grupos, tanto en el Norte como en el Sur, es un aspecto de este macroacontecimiento. Por ejemplo, en América Latina se denuncia por todas partes a los «herodianos». Estos son miembros de las clases gobernantes, los mismos a quienes las autoridades estadounidenses llaman «líderes latinoamericanos», y a quienes visitan cuando llegan en «giras de buena voluntad». Son los líderes locales que sirven a los intereses foráneos. La lucha de las clases oprimidas en los países del Sur se hace concreta y toma cuerpo en la batalla contra los «herodianos», que no sólo pertenecen a la cúpula política, sino también a la empresarial. Esos son los que venden el patrimonio de los pobres a los grandes intereses económicos extranjeros.

Sin embargo, también las minorías étnicas, en diferentes contextos, se apropian de esa toma de conciencia que definimos como tercer macroacontecimiento. Un claro y conocido ejemplo lo encontramos en la población negra de los Estados

Unidos, la cual en las últimas décadas ha dado a conocer su propósito de nunca más entenderse a sí misma y a su cultura conforme a lo que la cultura dominante le dice que es. Esto se expresa muy bien en el lema «lo negro es hermoso». Lo mismo está ocurriendo entre otras personas de la raza negra en el mundo; entre los indígenas de América Latina; entre los «montañeses» de Taiwán, y entre los «barakumin» en el Japón, así como entre algunas minorías étnicas de la ex URSS. Todos estos grupos entienden que la lucha de clases es un aspecto importante en su reivindicación. Sin embargo no reducen la totalidad de su esperanza a esa lucha, como sí parecen hacerlo los blancos norteños en su análisis de la condición humana.

La mujer, a quien al igual que a los niños se le ha dicho que «puede ser vista, pero no escuchada», hace también oír su voz. Con una fuerza impresionante, se oyen hoy en todo el mundo voces que hace sólo una generación era imposible escuchar. Esto toma formas diferentes conforme al país y la cultura donde se da. En la comunidad noratlántica, la mujer de color le recuerda a su hermana, la mujer blanca, que su lucha tiene dos dimensiones: por un lado la mujer blanca lucha por los ideales de la mujer, pero por otro lado ella misma es parte del sistema blanco de poder. En consecuencia, la mujer blanca es para la mujer de color hermana y opresora a la vez.[5]

---

[5] Sobre asuntos específicos acerca de las mujeres hispanas, ver Ada María Isasi-Díaz, «Apuntes for a Hispanic Women's Theology of Liberation», *Apuntes 6*, 1986, pp. 61-71, y «Mujeristas: A Name of Our Own», en Marc H. Elis y Otto Maduro, eds., *The Future of Liberation Theology: Essays in Honor of Gustavo Gutiérrez*, Orbis, Maryknoll, Nueva York, 1989, pp. 410-19; Ada María Isasi-Díaz y Yolanda Tarango, *Hispanic Women: Prophetic Voices in the Church*, Harper & Row, San Francisco, 1988, pp. 81-84; Pedro A. Sandín-Fremaint, «Hacia una teología feminista puertorriqueña», *Apuntes 4*, 1984, pp. 27-37.

Esto significa que el movimiento feminista no es privativo de la raza blanca o las clases medias. Lo que sí es cierto es que en desacuerdo o en solidaridad, la mujer se hace escuchar en todas partes del mundo, exigiendo su derecho a participar en el orden social. Este fenómeno es de suma importancia en el macroacontecimiento que ahora describo. Quienes por mucho tiempo fueron silenciadas, ahora exigen sus derechos y se hacen escuchar.

En resumen, grupos cuya contribución y opiniones eran rechazados por cuestiones de clase, nacionalidad, sexo, edad, orientación sexual y otras, ya no podrán ser silenciados. Este es un acontecimiento de enormes proporciones. Significa que la mayoría de la población mundial, que hasta ahora se había conformado con ser guiada y mantenida en un lugar secundario en relación con las grandes decisiones mundiales, se levanta y exige su derecho a participar del ordenamiento de la vida y el disfrute de los bienes de la creación. Es cada vez mayor la porción de la población mundial que ve que la distribución de las riquezas y del poder es injusta. Tal macroacontecimiento no se puede ignorar.

La reforma de hoy

La Reforma del siglo 16 fue un resultado directo de los macroacontecimientos de ese tiempo. El colapso del Imperio Bizantino, el creciente nacionalismo en toda la Europa occidental, el Renacimiento, el Humanismo, el descubrimiento, conquista y colonización de nuevas tierras, y otros acontecimientos importantes, constituyen el trasfondo esencial para entender aquella reforma. De igual manera, la reforma de nuestros días se va formando en el contexto de los macroacontecimientos de nuestros tiempos. Algunas de sus características reflejan esos macroacontecimientos.

Una de las características de nuestra macrorreforma es el surgimiento de voces teológicas importantes en regiones del mundo que no son los tradicionales centros de investigación teológica, y de teólogos que no se asemejan a los líderes tradicionales de ese quehacer. Cuando los teóricos de la misión definían en décadas pasadas las metas para las iglesias jóvenes, lo hacían en base a lo que algunos llamaron «los tres autos»: el autosostén, el autogobierno, y la autorreproducción. Lo que le faltaba a esa trilogía era la «autointerpretación» o «autoteologización». Tanto las iglesias madres como las iglesias jóvenes entendían que el significado del evangelio y, en consecuencia, la proclamación del mensaje, eran inalterables. Por tanto, la interpretación teológica no debería sufrir cambio alguno. Lo más que podría esperarse sería que las iglesias jóvenes reformularan el mensaje en términos de su propia cultura, y para su propio contexto. Lo sorpresivo ha sido que esas iglesias jóvenes han comenzado a aportar importantes avances teológicos y misionales no aportados por las iglesias que las fundaron. Las autoridades de los centros teológicos tradicionales han tenido que reconocer los grandes aportes teológicos al entendimiento del significado del evangelio producidos en Asia, África, América Latina y por las minorías étnicas de los Estados Unidos y de otros lugares, así como por las mujeres de todo el mundo. En el Debate de Leipzig, Lutero declaró que un cristiano con la Biblia de su parte tenía más autoridad que el papa o un concilio en contra de ella. Podría decirse de igual manera que una comunidad que vive las buenas nuevas del evangelio entre los pobres tiene más autoridad que la más encumbrada facultad teológica donde no se escuchen esas nuevas.

Una segunda característica de nuestra macrorreforma es el convencimiento de que el fin de la era constantiniana no debe temerse, sino que la situación posconstantiniana contribuirá a una comprensión más cabal del mensaje bíblico. Las Escrituras se comprenden mejor desde la perspectiva de la iglesia primitiva que desde la perspectiva de la iglesia constantiniana. El Éxodo y las leyes que resultaron del mismo se entienden mejor desde la perspectiva de la esclavitud y la travesía del desierto. El mensaje profético lo entienden mejor quienes no están acostumbrados a las crónicas reales y a las páginas sociales. El exilio lo entienden mejor quienes viven en una sociedad que no reclaman como suya, quienes «junto a los ríos de Babilonia» se ven invitados a cantar las canciones del Señor. La enormidad de la automarginalización de Dios en Galilea la entienden mejor los marginados de hoy, quienes viven en las modernas Galileas —los guetos, favelas, barrios y países subdesarrollados.[6] El fin de los privilegios de la era constantiniana implica la impotencia y pobreza evangélicas como opción, y llama a la iglesia a renovar su compromiso con las paradójicas «buenas nuevas» de la cruz. Al respecto, Lutero nos recuerda el contraste que existe entre la «teología de gloria» y la «teología de la cruz».[7] La «teología de gloria» exhibe un Dios de poder, sabiduría, felicidad y prestigio. Dice algo que suena atractivo, pero que no es propiamente teología cristiana. «La teología de la cruz» presenta a Dios en el sufri-

---

[6] El tema de Galilea como paradigma para la teología hispana ha sido estudiado por Virgilio Elizondo, *Galilean Journey: The Mexican-American Promise*, Orbis, Maryknoll, Nueva York, 1983, y por Orlando E. Costas, «Evangelism from the Periphery: A Galilean Model», *Apuntes* 2, 1982, pp. 51-59, y «Evangelism from the Periphery: The Universality of Galilee», *Apuntes* 2, 1982, pp. 75-84.

[7] *Debate de Heidelberg*, tesis 21. Cf. W.V. Loewenich, Luthers *Theologia Crucis*, Kaiser Verlag, Munich, 1954.

miento, la debilidad y el escarnio. La teología constantiniana es necesariamente una teología de gloria. Es una teología de cátedras y púlpitos de catedrales. Aun cuando la nueva teología se dicte en cátedras y púlpitos prestigiosos, está consciente de que la teología de gloria representa una era que agoniza, y que la nueva era, aunque pobre y dolorosa, le proveerá a la iglesia grandes recursos y oportunidades para ser fiel al evangelio.

Una tercera característica de esta macrorreforma es que viene a las Escrituras buscando no sólo «la verdad», sino una comprensión de la naturaleza de la verdad. Buena parte de la teología tradicional cristiana ha derivado su comprensión de la verdad de la filosofía platónica y eleática, que entiende que la verdad es inamovible y universal. Esa es la clase de verdad que esa teología ha ido a buscar en la Biblia. Por el contrario, la nueva reforma proclama que nuestra comprensión de la naturaleza de la verdad debe ser tal que en cualquier tiempo y lugar pueda escuchar a Jesús decir: «Yo soy la verdad.» La nueva reforma cree que la verdad en la que el pueblo de Dios ha sido llamado a vivir, la verdad bíblica, es verdad histórica y concreta. Esta verdad no existe en un mundo de ideas puras, sino que, por el contrario, se asocia con las realidades sacramentales del pan y el vino; con la búsqueda de la paz y la justicia; con la manifestación del Reino de Dios —un reino que no se apoya en las ideas puras, o en la existencia de almas desencarnadas, sino en la consecución de una sociedad más justa y de una historia que se renueva.

Como consecuencia de lo que se acaba de decir, la presente macrorreforma entiende que es urgente que la ortodoxia sea replanteada en términos más acordes con la ortopraxis.[8] La

---

[8] Este es un tema común en la teología de la liberación en América Latina. Samuel Soliván, quien en la actualidad enseña en la *Andover-Newton Theo-*

macrorreforma entiende que creer en la verdad significa vivir en esa verdad, lo que implica vivir en amor y justicia con el prójimo, sea que esté ante nosotros o en cualquier otra parte del mundo. A este respecto, el tema de la justicia se hace oír, no sólo en el contexto tradicional de la ética social, sino en las doctrinas de la Trinidad, de la creación, de la antropología, de los sacramentos, de la escatología y otros aspectos teológicos. Por ejemplo, la doctrina de la Trinidad no debe llevarnos solamente a afirmar la existencia de tres personas y una substancia, sino también y sobre todo a vivir y comprometernos con las demandas y relaciones de un Dios Trino como el que afirmamos —asunto sobre el cual volveremos más adelante.

Lo que acabo de apuntar es lo que hace posible hablar de la reforma de nuestros días. Aun cuando el centro de la reforma del siglo 16 fue la justificación por gracia mediante la fe, aquella reforma condujo a los cristianos a replantearse todo un cuerpo de temas teológicos que se creían bien definidos hasta ese momento. La teología que se desarrolla en el contexto de los macroacontecimientos de nuestros tiempos, tal como la del siglo 16 pero en términos más radicales, formula serias preguntas, no sólo en el orden de la justicia social, sino sobre todo otro asunto teológico. Los sistemas de doctrinas, y hasta la iglesia que surja de ese proceso, serán totalmente diferentes a lo que hasta ahora hemos conocido, hasta el punto que cualquier comparación con los cambios ocurridos en el siglo 16 hará ver que los de hoy son de mayor alcance.

Entramos de inmediato en la cuarta característica de la presente reforma: esta reforma es radicalmente ecuménica. Aun

---

logical School después de varios años en el *New York Theological Seminary*, trabaja sobre el tema de la «*orthopathia*» como elemento necesario en toda teología y particularmente importante para la experiencia hispana en los Estados Unidos.

cuando las diferencias teológicas que definieron las diversas posturas en la reforma del siglo 16 tienen importancia todavía, ya no son los principales temas de discusión. Puesto que, por ejemplo, el tema de la salvación se ve hoy en forma diferente a como se entendía en el siglo 16, uno se percata de inmediato que las posiciones tanto de los católicos como de los protestantes se basaban en un mismo entendimiento del carácter de la salvación, y que lo que hay que corregir es ese entendimiento mismo. En tal caso, el debate sobre la fe y las obras hoy puede plantearse de tal manera que muchas de las antiguas diferencias ya no tienen sentido. Entonces es posible que, al examinar los aspectos del debate a la luz de una nueva perspectiva, la nueva reforma esté en capacidad de hacerles justicia a al menos algunas de las preocupaciones fundamentales de ambas tradiciones.[9] Por otra parte, el énfasis que se coloca sobre la ortopraxis hace posible la colaboración y el entendimiento mutuos entre tradiciones y posiciones que no estén en completo acuerdo en términos doctrinales.

El propósito de este nuevo ecumenismo no es promover la unidad de las iglesias o buscar el mejoramiento de sus relaciones mutuas. Tales objetivos son importantes porque están estrechamente relacionados con la misión de la iglesia. Sin embargo, el objetivo de este ecumenismo es la *oikoumene*, la totalidad de la tierra habitada, sobre la cual vendrá el Reino

---

[9] En *Christian Thought Revisited: Three Types of Theology*, Abingdon, Nashville, 1989; edición revisada: Orbis, Maryknoll, 1999; versión castellana: *Retorno a la historia del pensamiento cristiano*, Kairós, Buenos Aires, 2004, he discutido este asunto más detalladamente. La raíz del problema, en pocas palabras, es que en las ortodoxias tanto católica como protestante tenemos ejemplos de lo que a fin de cuentas es un «tipo» de teología en el que el pecado y la salvación se explican en términos de ley, deuda y pago. Este «tipo» de teología no fue el más característico de la iglesia antigua, ni es el único o el mejor modo de entender el Nuevo Testamento.

de Dios. Es por ello que la nueva reforma no le teme al diálogo y la colaboración con los muchos movimientos, ideologías, partidos y programas que anhelan y luchan por la llegada del día cuando las bienaventuranzas se conviertan en una realidad, y los pobres reciban su herencia, y los hambrientos sean saciados.

En la quinta y última característica, quiero destacar el hecho, bastante extraño, de que esta nueva teología vuelve a plantear las viejas preguntas medievales sobre la naturaleza de los universales. De un modo que es característico de los nuevos tiempos, esta cuestión no se plantea en términos puramente lógicos o filosóficos, sino en términos de justicia, poder, y relaciones humanas. La nueva teología, producto de la reflexión de aquellos cuya voz no ha sido tomada en cuenta, está claramente consciente de cómo se confunde la perspectiva de los grupos dominantes con lo universal. La teología del varón noratlántico se toma entonces por teología fundamental, normativa y universal, a la que otras teologías —como la feminista, las de las minorías étnicas y las de las iglesias más jóvenes— sólo pueden añadir notas al calce. Lo que se diga en Manila es pertinente sólo para los filipinos, mientras que lo que se diga en Tubinga, Oxford, o Yale es importante para toda la iglesia. Los teólogos de raza blanca hacen teología general y universal, mientras que la teología de los teólogos de raza negra es considerada pertinente sólo para su raza. Los varones hacen teología general; mientras que la teología de las mujeres es considerada como una teología definida por su sexo. La nueva teología no puede aceptar tal concepto de «universalidad», basado en la injusta distribución del poder. Si la naturaleza de la verdad resulta ser como la he descrito tanto en su concreción histórica como en su conexión con la ortopraxis, entonces toda teología que sea válida tendrá que reconocer sus particularidades, así como su relación con las luchas y los intereses que influyen sobre ella. La teología que rehúse hacerlo y que por tanto insista en reclamar validez universal, no tendrá lugar en la iglesia de la posreforma, la iglesia del siglo 21.

Lo que acabo de decir nos deja en una posición tan difícil como la de los nominalistas extremos de la Edad Media. Su problema era que si los universales no tenían realidad más allá de la mente, el pensamiento tampoco se correspondería con la realidad, y toda proposición sería tan particular que perdería su significado. El problema tal como se plantea hoy es que si la teología se articula en términos concretos y sólo se refiere a luchas e intereses particulares, la comunicación entre los diferentes sectores de la iglesia se hace imposible. Sin embargo, la experiencia misma desmiente totalmente esa afirmación. Unas conversaciones sobre la Biblia sostenidas por un grupo de pescadores del Lago Managua fueron grabadas, traducidas y publicadas en inglés.[10] Esta publicación impuso récord de ventas en Estados Unidos y otras partes del mundo, en donde existe gente envuelta en luchas semejantes —aunque con matices diferentes— que se identifica con lo que aquellos pescadores sentían y decían acerca de la Biblia, aunque no siempre estuviese de acuerdo con ellos. De pronto, un grupo de mujeres asiáticoamericanas de California recibe con un ruidoso «Amén» el sermón de un predicador negro de Sudáfrica. Los pensamientos de un teólogo afroamericano se traducen a los idiomas de varias naciones pobres del mundo. Lo que sucede es que en esas expresiones teológicas, concretas y particulares, existe una universalidad indiscutible, que

---

[10] Ernesto Cardenal, *El evangelio en Solentiname*, 3 vols., Sígueme, Salamanca, 1978.

no es la universalidad de lo abstracto. Más bien, se logra una clase de universalidad paradójicamente concreta.

Esta paradoja sólo sorprende a quienes buscan una respuesta al problema de lo universal y lo particular por vía del *Parménides* de Platón, como si se tratase meramente de un problema lógico. Quienes, por el contrario, abordan el problema desde la perspectiva bíblica sobre la verdad saben que en el centro de esta realidad reside la suprema paradoja, que es la encarnación de Dios en Cristo Jesús. La teología cristiana no puede negar lo que Kierkegaard llamó «el escándalo de la particularidad». Luego, la paradoja que vemos entre el carácter concreto de la teología de la nueva reforma, por un lado, y su validez universal, por otro lado, surge de la naturaleza misma de la verdad, en cuyo centro reside el escándalo de la particularidad. Las expresiones teológicas de la nueva teología encuentran su universalidad en el reconocimiento y afirmación de sus particularidades.

De todo lo anterior derivamos una conclusión práctica en cuanto al modo en que hemos de responder a las instituciones y escuelas de teología cuando nos dicen que tienen que equilibrar nuestros reclamos con los de las mujeres, los afroamericanos y otras minorías. Nuestra primera y natural reacción sería argumentar que nuestros reclamos son tan importantes como los de los demás. Eso es absolutamente cierto. Pero fundamentar nuestra lucha sobre esa base sería aceptar la definición que la teología «normativa» de la mayoría — en realidad, de una minoría dominante— nos impone. En tal respuesta podemos identificar al menos tres errores. El primero está en dar por sentado que la teología que se enseña en tales escuelas es realmente «teología general», no étnica, y que lo que los hispanos buscamos aportar es una teología particular, étnica o exclusivamente hispana. El segundo error está en dar por

sentado que los intereses de una minoría se oponen necesariamente a los intereses de otra. El tercero está en creer que la
pertinencia «universal» de una institución o escuela teológica
se vería afectada por su involucramiento en situaciones históricas y geográficas concretas.

Al plantear las preocupaciones hispanas sobre el quehacer
teológico, en modo alguno buscamos sustituir el predominio
anglosajón imponiendo el nuestro. Tampoco permitiremos
que se nos use para retrasar las aspiraciones de otros grupos
minoritarios. Al contrario, junto a todas las minorías que
hablan el lenguaje de la nueva reforma, nos proponemos
llamar a la iglesia toda a la obediencia a Jesucristo, y de esa
manera contribuir con nuestras reflexiones teológicas a la
vida total de la iglesia.

4

Nuestro lugar
en la nueva reforma

El propósito del capítulo anterior fue colocar la experiencia y teología hispanas en el contexto de los grandes acontecimientos de nuestros tiempos, acontecimientos que ocurren tanto en el mundo como en la iglesia y su teología. Ahora debemos dirigir nuestra atención a la historia religiosa hispana vista en el contexto de la situación presente, de manera que descubramos la relación que existe entre los acontecimientos que definen esa situación y la tarea que tenemos por delante.

Nuestro trasfondo católicorromano

La primera pregunta que hemos de plantearnos es cómo el fin de la era constantiniana afecta nuestra fe, y cómo nos afecta como hispanos.

De una u otra manera, la vida, experiencia y trasfondo de todo hispano han sido impactados por el catolicismo romano español, si no siempre al nivel personal, al menos a través del influjo de generaciones anteriores. La mayoría de nosotros ha nacido dentro de la Iglesia Católica Romana y es todavía parte de ella, al menos nominalmente. Otros hemos nacido dentro del protestantismo. Muchos nacieron dentro del catolicismo, pero luego han abrazado la fe protestante. Y otros no tienen conexión eclesiástica alguna. Sin embargo, a pesar de esas diferencias, en toda nuestra experiencia común se manifiesta el impacto del catolicismo español.

A los protestantes norteamericanos, y hasta a los católicos, se les hace muy difícil entender el alcance de los cambios que han ocurrido en la Iglesia Católica latinoamericana en el transcurso de nuestras vidas. Para entenderlo tendrían que haber pasado por la experiencia común de los protestantes latinoamericanos de mi época y ver, por ejemplo, cómo los compañeros de la escuela se persignaban al enterarse de que uno era protestante. Tendrían que haber sido invitados por algunos de sus más devotos compañeros de escuela a «oír misa» (porque ni tomaban la comunión, ni «iban» a la misa, sino que «oían» la misa). Tendrían que haber oído el testimonio de ex seminaristas católicos tradicionales, a quienes se llevaba a los terrenos de sembradíos y se les ordenaba arrancar zanahorias y volver a sembrarlas, pero invertidas; y ser castigados si protestaban por semejante disparate, pues mostraban no aprender el significado de la obediencia. Tendrían que haber visto los cadáveres de los pobres amontonados en algún edificio abandonado, por el hecho de que los familiares no podían pagar un pequeño terreno en el cementerio a razón de trescientos dólares el metro. Tendrían que haber visto cómo en las escuelas de la iglesia se les hacía vestir a los niños becados por la institución un uniforme diferente al que usaban los que sí podían pagar. Tendrían que haber visto cómo los cardenales y obispos bendecían rutinariamente las obras públicas construidas por los tiranos, mientras éstos derramaban la sangre de los pobres por doquier. Entonces, y sólo entonces, podrían conocer la magnitud de los cambios ocurridos en el catolicismo latinoamericano. Y entonces también comprenderían los prejuicios de un estudiante protestante, quien después de cuatro semanas como participante de un curso sobre la historia del pensamiento cristiano me preguntó cuándo terminábamos con los «asuntos católicos» para entrar en el pensamiento «cristiano». Sólo así podrán entender el gran asombro y gratitud que mi generación de protestantes y yo sentimos al ver la nueva Iglesia Católica latinoamericana.

Pero no deberíamos estar tan asombrados, primero por razones teológicas. Siempre hemos creído y afirmado que grandes e inesperadas cosas pueden ocurrir cuando las Escrituras se leen con propósitos serios y de manera renovada. Si ahora somos testigos de esos grandes cambios, a la vez descubrimos y nos vemos obligados a confesar que nuestros prejuicios no concordaban con la teología que profesábamos. En segundo lugar, y ésta es mi principal afirmación, estos cambios no nos asombrarían tanto si recordáramos que desde el principio han existido dos iglesias dentro de la aparentemente monolítica Iglesia Católica latinoamericana.

Pocos estadounidenses saben hasta qué punto la Iglesia Católica en América Latina sirvió a los intereses de la conquista, la opresión y la colonización. Y un número mucho menor comprende que dentro de esa misma iglesia hubo otra que denunció repetidamente los poderes de la época y se opuso a ellos.

Consideremos primero el lado «oficial» de la iglesia, y especialmente la manera en que sirvió a los intereses de la conquista y la colonización. Desde los inicios de la conquista se creó el *Patronato Real*, base del poder que ejercía la Corona sobre la iglesia en las colonias. El papa Alejandro VI, ocupado con las muchas e interesantes cosas que ocurrían en Italia, al parecer no quería distraerse con los asuntos del Nuevo Mundo y la evangelización de esas tierras. Por ello emitió una serie de bulas[1] mediante las cuales le concedió al gobierno español autoridad tanto religiosa como política sobre todas las tierras descubiertas o por descubrir, más allá de una línea de demarcación trazada cien leguas al oeste de las Islas Azores, siempre que se pudiera llegar a esas tierras navegando hacia el occidente, y que no perteneciesen ya a algún monarca cristiano. En relación con los descubrimientos de los portugueses, se hicieron los mismos arreglos y adaptaciones, de modo que el *Padroado* portugués tuviese los mismos derechos que el *Patronato* español. Ya en 1501, y posiblemente desde antes,[2] los diezmos y las ofrendas de la iglesia eran administrados por la Corona, al tiempo que el gobierno corría con todos los gastos de la iglesia en las colonias.[3] Cuando se establecieron las pri-

---

[1] *Inter caetera, Eximiae devotionis,* segunda *Inter caetera, Piis fidelium,* y *Duum siquidem.* Las mismas se encuentran en la extensa obra de F. J. Hernáez, *Colección de bulas, breves y otros documentos relativos a la iglesia de América y Filipinas,* 2 vols., Bruselas, 1879; Kraus Reprint, Vaduz, 1964. Sobre el trasfondo de esas bulas, tanto en las misiones portuguesas como en las cruzadas, ver F. Mateos, «Bulas portuguesas y españolas sobre descubrimientos geográficos», *Missionalia Hispanica* 19, 1962, pp. 5-34, 129-68. Mucho se ha debatido acerca de por qué se emitieron esas bulas, su alcance y qué las originó. Ver M. Giménez Fernández, *Nuevas Consideraciones sobre la historia y sentido de las bulas alejandrinas de 1493 referentes a las Indias,* Anuario de Estudios Americanos, Sevilla, 1944, y «Todavía más sobre las letras alejandrinas de 1493 referentes a las Indias», *Anales de la Universidad Hispalense* 14, 1953, pp. 241-301. El otro participante de esta controversia fue V. D. Sierra, «En torno a las bulas alejandrinas de 1493», *Missionalia Hispanica* 12, 1955, pp. 403-28. Acerca de las bases para la teoría legal de las bulas, ver P. Castañeda, «Las bulas alejandrinas y la extensión del poder indirecto», *Missionalia Hispanica* 28, 1971, pp. 215-48.

[2] Para estos efectos, la bula de Alejandro está fechada en 1501. Por el tono de la bula y otros indicios, parece indicarse que esa práctica ya estaba establecida para ese tiempo. La bula se encuentra en Hernáez, *Colección de bulas,* vol. 1, pp. 20-21.

[3] Parece que la Corona no se benefició directamente de esos arreglos en las primeras etapas de la conquista, pues dos terceras partes de los ingresos se

meras sedes episcopales en América, el papa Julio II, ocupado como estaba con las guerras de Italia, le concedió a España lo que se llamó el «derecho de presentación,» mediante el cual la corona española asumía el derecho de «presentar» a la Santa Sede los nombres de los candidatos a obispos y otros funcionarios eclesiásticos en las colonias.[4] Los juristas españoles, con el paso del tiempo, interpretaron lo que el papa había creado como un «vicariato», de modo que el rey actuaba como vicario del papa en el Nuevo Mundo.[5]

La actitud de la corona hacia la población indígena era ambivalente. Por un lado, contaba con el trabajo de los indígenas para la obtención de los beneficios de la empresa de la conquista y colonización. Existen pruebas en demasía de que España y Portugal querían la cristianización de los indígenas, no tanto por el bien de sus almas como para el beneficio del gobierno. Por otro lado, la explotación de los indígenas contribuía al establecimiento de grandes dominios −imperios prácticamente autónomos− en el Nuevo Mundo. Debido a que la unificación de España se acababa de lograr a costa de grandes batallas contra nobles potentados independientes que resistían la autoridad central de la Corona, ésta trató de evitar que lo mismo ocurriese en el Nuevo Mundo. Por ello

---

usaban para apoyar el trabajo de la iglesia y el resto se empleaba en obras de caridad. F. X. Montalbán, *Manual de historia de las misiones*, El Siglo de las Misiones, Bilbao, 1961, pp. 256-58.

[4] Bula *Universalis ecclesiae*, 1508, en Hernáez, *Colección de bulas*, vol. 1, pp. 24-25.

[5] Ver A. De Egaña, *La teoría del regio vicariato español en Indias*, Universitas Gregoriana, Roma, 1958. Se incluye una extensa bibliografía sobre este tema en pp. xi-xx.

los soberanos españoles pronto se convirtieron en defensores
de los derechos de los indígenas.[6]

La misma ambivalencia existía también en la iglesia. Los
obispos eran escogidos por la corona, más por sus conexiones
en la corte que por sus dotes pastorales o por su amor por el
pueblo indígena al que habrían de servir.[7] La tarea de los clérigos diocesanos se circunscribió a ministrar a los españoles y
a sus sirvientes indígenas asentados en los territorios parro-
quiales. Muchos de esos sacerdotes, tanto diocesanos como
seculares, eran hombres verdaderamente devotos.[8] Otros eran

---

[6] Esto puede percibirse en las palabras de Isabel al saber que Colón había
    enviado a algunos indígenas a España para venderlos como esclavos:
    «¿Quién ha dado al Almirante el derecho de vender a mis súbditos?» La
    reina ordenó que los compradores de los indígenas vendidos los regresaran
    a sus tierras de origen, bajo la amenaza de pena de muerte si no lo hacían.
    A. De Herrera y Tordecillas, *Historia general de los hechos de los castellanos
    en las islas y tierra firme del mar Océano*, 4 vols., Madrid, 1601, vol. 1, p. 256.
    Actitudes similares se encuentran en las primeras etapas de la conquista,
    hasta que el poder español quedó consolidado, no sólo sobre los indígenas,
    sino también sobre los conquistadores y sus descendientes. Esto no quiere
    decir que no hubiese consideraciones de índole moral en esa situación, pues
    Isabel misma se preocupaba personalmente de la suerte de sus súbditos
    indígenas, hasta el punto de ordenar que no se les permitiese bañarse muy
    a menudo. Algunos afirman que, como resultado de los escritos de Las
    Casas y de Francisco de Vitoria, Carlos V llegó a considerar la cancelación
    de la empresa por ser injustificable moralmente. Sin embargo, los intereses
    políticos y económicos prevalecieron y la empresa continuó sin mayores
    cambios. Sobre este asunto la obra clásica es la de L. Hanke, *The Spanish
    Struggle for Justice in the Conquest of America*, University of Pennsylvania
    Press, Filadelfia, 1949. Ver también L. B. Simpson, *Los conquistadores y el
    indio americano*, Ediciones Península, Barcelona, 1970.

[7] Las Casas es la excepción más importante, pues fue nombrado obispo de
    Chiapas por ser conocido en los círculos gubernamentales por su defensa
    en favor de los indígenas.

[8] Ver C. Bayle, *El clero secular y la evangelización de América*, Consejo Superior
    de Investigaciones Científicas, Madrid, 1950.

sacerdotes que por una razón u otra habían fracasado en España y venían al Nuevo Mundo en busca de nuevas oportunidades. El sufrimiento por el que pasaban los indígenas en el proceso de «cristianización» le era prácticamente desconocido a ese clero diocesano, por más devoto que fuera. Todo su interés se inclinaba al surgimiento de ciudades en medio de las selvas, la construcción de iglesias, el cobro de tributos, la fundación de escuelas y «civilizar» a los «salvajes».

Sin embargo, puede hablarse de otra iglesia que nacía en el Nuevo Mundo. Sus ministros eran mayormente frailes (franciscanos,[9] dominicos,[10] jesuitas[11] y mercedarios[12]) quienes habían hecho votos de pobreza y obediencia, y por tanto podían trabajar en situaciones desventajosas donde el clero diocesano o secular no lo haría. Esos votos de pobreza y obediencia les permitían compartir la pobreza y los sufrimientos de sus rebaños. Fueron esos frailes los que, con sus protestas en contra de los maltratos a los indígenas, y la preparación y organización de los mismos para que estuviesen en control de

---

[9] La bibliografía sobre los franciscanos en América es enorme. Como introducción a la misma, ver Pedro Borges, *Métodos misionales en la cristianización de América*, Consejo Superior de Investigaciones Científicas, Madrid, 1960, pp. 12-13.

[10] A. Figueras, «Principios de la expansión dominicana en Indias,» *Missionalia Hispanica* 1, 1944, pp. 303-40.

[11] F. Mateos, «Antecedentes de la entrada de los jesuitas españoles en las misiones de América,» *Missionalia Hispanica* 1, 1944, pp. 106-66, y «Primera expedición de misioneros jesuitas al Perú», *Missionalia Hispanica* 3, 1945, pp. 41-108.

[12] J. Castro Seoane, «La expansión de la Merced en la América colonial,» *Missionalia Hispanica* 1, 1944, pp. 73-108; 2, 1945, p. 231-330; J. Castro Seoane, «La Merced en el Perú», *Missionalia Hispanica* 3, 1946, pp. 243-320; 4, 1947, pp. 137-401; 7, 1950, pp. 55-80.

sus vidas, se convirtieron en los legítimos defensores de sus derechos.

Bartolomé de Las Casas es el fraile a quien más se conoce por su constante búsqueda de nuevas leyes para la protección de los indígenas.[13] Una razón por la que este fraile es relativamente conocido por el público de habla inglesa es que sus escritos sobre el maltrato de los indígenas por parte de los españoles parecen justificar y confirmar el prejuicio antiespañol y anticatólico que caracteriza a ese público. Sólo algunos de entre ese público se percatan de que Las Casas no fue una voz solitaria en un mar de injusticias e insensateces, sino que fue la voz de una nueva iglesia que surgía en medio de aquella realidad.

Por ser tantos, no podríamos mencionar los nombres de todos los frailes que se destacaron en esa nueva iglesia. Baste por tanto mencionar algunos de los nombres más destacados de esa «otra iglesia» que nació del ministerio a los desposeídos.

---

[13] Lewis Hanke, *Las teorías políticas de Bartolomé de Las Casas*, J. Peuser, Buenos Aires, 1935; Henry Raup Wagner; *The Life and Writings of Bartolomé de Las Casas*, University of New Mexico Press, Albuquerque, 1967; Ángel Losada, *Fray Bartolomé de Las Casas a la luz de la moderna crítica histórica*, Tecnos, Madrid, 1970; Juan Friede y Benjamín Keen, *Bartolomé de Las Casas in History: Toward an Understanding of the Man and His Work*, Northern Illinois University Press, DeKalb, II, 1971; Lewis Hanke, *All Mankind Is One: A Study of the Disputation between Bartolomé de Las Casas and Juan Ginés de Sepúlveda in 1550 on the Intellectual and Religious Capacity of the American Indians*, Northern Illinois University Press, Dekalb, II, 1974; Comisión de Estudios de Historia de la Iglesia en Latinoamérica (CEHILA), *Bartolomé de Las Casas e historia de la iglesia en América Latina*, Terra Nova, Barcelona, 1976; Juan Friede, *Bartolomé de Las Casas, precursor del anticolonialismo: su lucha y su derrota*, Siglo Veintiuno, México, 1976; Ramón-Jesús Queralto Moreno, *El pensamiento filosófico-político de Bartolomé de Las Casas*, Escuela de Estudios Hispano-Americanos, Sevilla, 1976; Gustavo Gutiérrez, *En busca de los pobres de Jesucristo: El pensamiento de Bartolomé de las Casas*, CEP, Lima, 1992.

El primero en protestar contra el abuso a los indígenas, y particularmente contra el sistema de las encomiendas, fue el dominico Antonio de Montesinos. Ese sistema consistía en la entrega, o *encomienda*, de un grupo de indígenas a un español, a quien se le confiaba la «civilización» y «cristianización» de los así encomendados. A cambio de tales beneficios, los indígenas trabajarían para el español. Puesto que los encomenderos no tenían que invertir dinero en la compra de los indígenas, este sistema se convirtió en la peor de las esclavitudes. Con sus protestas y abogacía ante la Corte de España, seguidas por las de Las Casas, Antonio de Montesinos logró que en 1512 se cambiasen las leyes que regulaban el trato de los indígenas. Esta fue la primera de una serie de reformas legales a las que está asociado repetidamente el nombre de Bartolomé de Las Casas, pero cuya implementación en el Nuevo Mundo siempre fue limitada.

San Luis Beltrán,[14] el primer misionero español al Nuevo Mundo en ser canonizado, denunció constantemente a los españoles por vivir y lucrar con la sangre de los indígenas. Se cuenta que en una ocasión fue invitado a la mesa de un encomendero. Sus comentarios sobre la situación de los indígenas molestaron a su anfitrión. Pero San Luis le silenció al exprimir una tortilla de la que salió sangre. Cualquiera sea la verdad sobre este incidente, es innegable que los frailes tenían un concepto muy claro de la naturaleza de la conquista, y sabían que toda la empresa se fundaba en la injusticia y la explotación.

---

[14] Álvaro Sánchez, *El Apóstol del Nuevo Reino: San Luis Beltrán*, Santafé, Bogotá, 1953. A un nivel más popular, ver Stephen Clissold, *The Saints of South America*, Charles Knight & Co., Londres, 1972, pp. 12-29.

A los misioneros jesuitas del Paraguay se les ha acusado de ser paternalistas. La verdad es mucho más compleja. En las llamadas «reducciones», los campos, los animales y los implementos agrícolas eran propiedad común. Los indígenas que vivían allí con los misioneros aprendieron mucho de las prácticas agrícolas del Viejo Mundo, y su pericia en las artes prácticas fue tal que llegaron a construir órganos para sus iglesias. No puede llamarse «paternalismo» a la manera en que los misioneros jesuitas ayudaron a los indígenas a convertir sus talleres en fábricas de armas, y a organizarse para la defensa de sus familias y pueblos contra el ataque de los cazadores de esclavos.[15]

En Chile, el dominico Gil González de San Nicolás[16] llegó a comprender que el verdadero propósito de las guerras contra los indígenas era arrebatarles sus tierras, y por tanto consideró que se trataba de una guerra injusta. Concluyó que a consecuencia de esto no deberían recibir la absolución quienes se beneficiaban de tales guerras. Su argumento convenció a muchos de sus compañeros dominicos, así como a buen número de franciscanos. A la postre, Gil González de San Nicolás fue acusado de herejía y silenciado por las autoridades.

---

[15] La historia más completa de los jesuitas en el Paraguay, sobre todo por su valiosa colección de fuentes primarias, es Pablo Pasteles, *Historia de la Compañía de Jesús en la Provincia del Paraguay*, 8 vols., V. Suárez, Madrid, 1912-1949. Véase también M. Morner, *The Political and Economic Activities of the Jesuits in the La Plata Region: The Hapsburg Era*, Victor Pettersons Bokindustri Artiebolag, Stockholm, 1953; F. Mateos, «La Guerra Guaranítica y las misiones del Paraguay», *Missionalia Hispanica* 8, 1951, pp. 241-316; 9, 1952, pp. 75-121.

[16] Antonio de Egaña, *Historia de la Iglesia en América Española: Desde el Descubrimiento hasta comienzos del siglo XIX*, vol. 2, *Hemisferio sur*, Biblioteca de Autores Cristianos, Madrid, 1966, p. 209. Egaña no simpatiza con Gil González.

Con la llegada de los esclavos negros, la «otra iglesia» encontró nuevas formas para expresar su ministerio. Como en tantas otras partes del mundo, las autoridades eclesiásticas no alcanzaban a ver nada erróneo en la esclavitud. Sin embargo, entre los frailes había muchos que discrepaban de las autoridades en este punto. Como no era mucho lo que podían hacer para abolir la práctica esclavista, hicieron todo lo que estuvo a su alcance para reformarla y denunciar su oposición al evangelio. En este contexto merece mencionarse la labor de San Pedro Claver.[17] Este fraile jesuita, oriundo de Cataluña, llegó a Cartagena siendo todavía novicio. Lo que allí vio de barcos esclavistas, cuyo mal olor podía detectarse aun antes de que apareciesen en el horizonte, de familias destrozadas, de cuerpos mutilados y de vidas partidas, le hizo tomar la decisión de hacer algo al respecto. Al tiempo de hacer los votos finales, añadió personalmente un cuarto voto a los tradicionales tres votos de pobreza, castidad y obediencia. Su cuarto voto fue *Petrus Claver, Aethiopum semper servus* (Pedro Claver, por siempre esclavo de los negros). Obtuvo permiso de su orden para ocuparse de la evangelización de los esclavos negros, ya que esa era su mayor preocupación. Sin embargo, hizo mucho más que eso. Cuidó personalmente de los esclavos leprosos que eran abandonados por sus amos. Se ocupó además de organizar a los negros libertos para que ayudasen a los demás esclavos necesitados. En días feriados, este grupo organizaba banquetes en los que como invitados de honor figuraban los leprosos, pordioseros y enfermos abandonados por sus amos porque ya no podían producir. Pedro Claver sabía que no po-

---

[17] Mariano Picón Salas, *Pedro Claver: El santo de los esclavos*, Fondo de Cultura Económica, México, 1949; Ángel Valtierra, *Peter Claver: Saint of the Slaves*, Burns & Oates, Londres, 1969. Una breve biografía: Clissold, *The Saints*, pp. 173-201.

dría abolir la esclavitud como tal, pero hizo todo lo que para él era factible hacer, y hasta más. Muy pronto otros notaron que el jesuita se inclinaba a saludar humildemente al más pobre de los esclavos, al tiempo que cruzaba al otro lado de la calle para evitar saludar a un amo de esclavos. Conocida fue también su práctica de aplicar las «reglas del evangelio» al escuchar las confesiones, oyendo primero a los esclavos, luego a los pobres y finalmente a los niños, dejando que otro confesor escuchara a los ricos y dueños de esclavos, para quienes no encontraba tiempo disponible en su agenda diaria.

Ya en el ocaso de su vida, confinado a una cama y en estado de inmobilidad, Fray Pedro Claver daba gracias a Dios por haberle dado la oportunidad de vivir parte de la experiencia que su rebaño había vivido en los barcos negreros. Sólo así se percató la sociedad blanca de que había un santo entre ellos. Esto hizo que acudiesen en masa a su celda en busca de reliquias, las cuales agotaron hasta quedar sólo su crucifijo. Y hasta el crucifijo fue a parar a manos de un marqués, pues las autoridades religiosas así se lo ordenaron a Claver. Fray Pedro murió y su recuerdo asimismo pasó. El sistema de esclavitud continuó, mientras que la Iglesia Católica Romana tardó 234 años en reconocerle como santo.

Esta era la «otra iglesia». La iglesia que yo no conocía cuando mis compañeros de escuela se persignaban frente a mí; la iglesia que tampoco ellos, en parte por pertenecer a la clase media, conocían. Pedro Claver podría contarse entre los afortunados, ya que su ministerio fue finalmente reconocido, aunque tardase siglos. Otros han permanecido en el olvido, donde quedarán probablemente, ya que se trata de la iglesia de los pobres, de los que no son recompensados, en fin, de los anónimos.

Sea como fuere, esta otra iglesia ha seguido existiendo. Se ha hecho presente aquí y allá de una u otra forma. Reclamando ser descendiente de familia real inca, José Gabriel Túpac Amaru dirigió a los indígenas del alto Perú en rebelión contra los españoles en el siglo 18. Tanto él como sus sucesores y otros líderes de la rebelión se declaraban verdaderos católicos. Pero sabían muy bien que los jerarcas de la Iglesia eran instrumentos utilizados por el poder español. Los obispos del Cuzco les ordenaron a sus sacerdotes predicar a los indígenas que había para ellos «gran recompensa si prometen mantenerse alejados de toda rebelión, y por el contrario, fieles súbditos del Rey Católico».[18]

La resistencia a la rebelión indígena en las ciudades estaba a cargo del clero diocesano, compuesto por sacerdotes españoles y criollos. Algunos de ellos llegaron a tomar las armas en contra de la rebelión. Por otro lado, muchos sacerdotes de aldeas y de zonas rurales apoyaban la rebelión, incluso un sacerdote que había abandonado el Perú cuando todos los jesuitas fueron deportados de las colonias españolas, y quien desde su exilio en Inglaterra trataba de obtener el apoyo del gobierno inglés para la rebelión indígena.

La rebelión de Túpac Amaru fue de corta duración, ya que fue ahogada en sangre sólo tres años después de su inicio. Sin embargo, unas cuantas décadas más tarde se desató la rebelión en México, que proclamó su independencia de España bajo el liderato de Fray Miguel Hidalgo y Costilla y la bandera de la Virgen de Guadalupe. Se acercaba el fin del imperio español en América, y en las luchas que siguieron la iglesia se vio de nuevo dividida. Por un lado la jerarquía, compuesta

---

[18] Citado por Boleslao Lewin, *La rebelión de Túpac Amaru*, Sociedad Editora Latino Americana, Buenos Aires, 1967, p. 503.

por un clero extranjero o criollo pero extraído de la aristocracia local, defendía el régimen español, mientras que por
otro lado había un clero criollo y mestizo comprometido con
la causa rebelde.

No es éste el lugar para describir todo lo que en esta revolución ocurrió. Pero es importante señalar que Hidalgo y sus
tropas pelearon bajo la insignia de la Virgen de Guadalupe.[19]
Esto es sintomático, porque una de las vías, quizá la más importante, a través de las cuales la iglesia de los desposeídos
afirmó su existencia, fue la piedad popular, expresada en cultos tales como el de la Virgen de Guadalupe.

Mucho podemos aprender de la leyenda que yace detrás
del culto a la Virgen de Guadalupe.[20] Se trata de la aparición
de la Virgen a un pobre indígena de nombre Juan Diego, a
quien dio ciertas instrucciones para ser llevada al obispo de
México. El obispo se negó a recibirle, y sólo después de un
milagro se vio obligado a admitir que en realidad la Virgen
se le había aparecido a Juan Diego y que él debería hacer lo
que en las instrucciones se le decía. De esta manera, la Virgen
de Guadalupe se convirtió en el símbolo de afirmación de lo
indígena frente a lo español, del iletrado frente al letrado, y
del oprimido frente al opresor.

En mi niñez y juventud se me enseñó que cultos como el
de la Virgen de Guadalupe eran pura superstición. Por eso, no

---

[19] Debe notarse también que la Virgen de Copacabana jugó un papel similar
en algunos sectores de la rebelión de Túpac Amaru.

[20] Las fuentes para la reconstrucción de los acontecimientos, y para el desarrollo de la leyenda, pueden encontrarse en León Lopetegui y Félix Zubillaga, *Historia de la Iglesia en América española: Desde el descubrimiento hasta
comienzos del siglo XIX*, vol. 1, *México, América Central, Antillas*, Biblioteca
de Autores Cristianos, Madrid, 1955, pp. 345-54.

puedo nunca olvidar la reacción de un profesor mexicano que tuve en el seminario, cuando un compañero de clases hizo un desmesurado comentario sobre la Guadalupe. Ese profesor, un protestante a carta cabal, encorvado por los años, de pronto se irguió, y mirando con rostro severo a mi amigo le dijo: «¡Oiga joven! Usted tiene derecho a decir lo que le plazca en esta clase. Puede decir lo que quiera de mí. Se le puede tolerar cualquier cosa que diga sobre el papa y los obispos. ¡Pero no le tolero una sola palabra sobre mi Virgencita!»

En aquel momento, el incidente no fue para mí sino la reacción de un hombre de edad madura, criado desde su niñez en medio de la superstición. Pero ahora lo comprendo de otro modo. Lo que este hombre decía era que, a pesar de todo lo que nuestros amigos estadounidenses nos han dicho, a pesar de la aparente superstición, a pesar de todo lo que ocurre los domingos a la mañana cuando multitudes se arrastran por el suelo hacia los santuarios de la Guadalupe, hay detrás de todo eso una verdad que llega al corazón (y que llega tanto más profundamente, por cuanto ni las mismas enseñanzas protestantes, recibidas y aceptadas durante toda una vida, alcanzan a arrancarla).[21] Personas a quienes por generaciones se les ha inculcado, con palabras y con acciones, que son seres inferiores, encuentran en la Virgen la reivindicación de todos los

---

[21] Esta es la razón por la que la Virgen de Guadalupe juega tan importante papel en la teología católica hispanoamericana en EE.UU. Ver Andrés González Guerrero, *A Chicano Theology*, Orbis, Maryknoll, Nueva York, 1987; Virgilio Elizondo, *La morenita: Evangelizadora de las Américas*, Liguori Publications, Liguori, Missouri, 1981; Eduardo Hoornaert, «La Evangelización según la tradición guadalupana,» en SELADOC, *Religiosidad popular*, Sígueme, Salamanca, 1976, pp. 260-79.

Juan Diegos. Esto es en realidad parte del mensaje del Evangelio, aunque no sea parte de nuestros propios mensajes.[22]

No debería sorprendernos, entonces, todo lo que ha acontecido en la Iglesia Católica Romana de América Latina en épocas recientes. Ya aparece Juan Diego, y hasta algunos obispos le creen. La otra iglesia, la de Las Casas, Montesinos y Pedro Claver, ha resurgido en el escenario latinoamericano, haciéndose escuchar por el resto de la Iglesia. Ciertamente, esto no quiere decir que la lucha ya haya terminado. Esto no quiere decir que toda la iglesia hable con una sola voz. Por cada Arzobispo Romero que se levanta en defensa de los pobres, muchos otros se levantan en defensa de la iglesia institucional.

Desde los mismos inicios de la Iglesia Católica Romana española en América la lucha se ha hecho presente entre un clero jerárquico que responde a los poderes del orden político y económico, y una iglesia popular dirigida por pastores cuyo ministerio se ha ejercido siempre al borde de la desobediencia.

Esta dualidad sigue afectando a la mayor parte de los hispanos, pues ha continuado aun después del fin de la colonia. En el sudeste de los Estados Unidos aparece en las luchas de

---

[22] Uno de los más importantes himnólogos hispanos en el país, Carlos Rosas, quien es católico fiel y director de coros en San Antonio, ha expresado sus sentimientos en una canción que se ha hecho muy popular, «El profeta del barrio». Después de una estrofa inicial que habla de la respuesta de la gente a la predicación de Jesús en Galilea, el coro dice:

Es hijo del carpintero.
Profeta no puede ser.
Es uno de nuestro barrio.
Profeta no puede ser.

Luego la canción continúa diciendo que «la Virgen miró a Juan Dios con ojos de mucho amor», pero como Juan Diego «no era del clero» el obispo no le creyó.

Antonio José Martínez, el «cura de Taos». Después de estudiar para el sacerdocio en México y España, Martínez fundó iglesias católicas en Peñasco, Abiquiú, Santa Fe, Cañada de Santa Cruz, Tomé, Old Messilla, y finalmente en Taos. Allí fundó una escuela, adquirió una imprenta en el viejo México y comenzó la publicación de un periódico. Entre el pueblo común, se le respetaba como santo. Nunca creyó en el celibato, y contrajo matrimonio abiertamente. Su esposa era llamada comúnmente «Madre Teodorita», y gozaba de gran respeto en la comunidad como la compañera del sacerdote. Todo esto ocurrió para el tiempo de la guerra entre los Estados Unidos y México, y luego durante el tiempo de la Guerra Civil estadounidense. El padre Martínez sostuvo y condujo a su rebaño a través de tiempos muy tormentosos. Al pasar Nuevo México al control de los estadounidenses, Martínez fue acusado de rebelión y sedición al tiempo que el gobernador estadounidense en Taos era asesinado. Tales acusaciones, nunca llevadas a la corte, parecen haber sido totalmente infundadas. Lo que sí es cierto es que Martínez tomó la defensa de los que eran despojados de sus tierras y pertenencias por los invasores, y éstos consideraban lógicamente que sus intenciones eran hostiles.

Todo esto hizo que el Padre Martínez se enfrentase al recién designado obispo de Santa Fe, Jean Baptiste Lamy. Como miembro de la jerarquía estadounidense, Lamy opinaba que el catolicismo español dejaba mucho que desear. De modo que consideraba que una parte muy importante de su gestión en su diócesis era la americanización de su rebaño hispano. Aparentemente, no conocía los problemas por los que pasaba su diócesis hispana bajo el nuevo orden de cosas en que ahora vivía. Entre sus amigos estaba el famoso bandolero Kit Carson, pero ni aun así podía comprender por qué los hispanos le objetaban. Imposible era para él aceptar en su diócesis a un sacerdote casado y con hijos. Cuando ordenó a los sacerdotes recolectar los diezmos en todas las congregaciones, Martínez se le opuso, diciendo que las congregaciones eran muy pobres, y que no eran los pobres quienes tenían que dar a la iglesia, sino la iglesia a los pobres. Su ministerio continuó por mucho tiempo, pero siempre al borde de la obediencia. Parece que renunció eventualmente, o que fue excomulgado, pero nunca dejó a su iglesia y ministerio. La gente de Taos siempre le consideró su pastor. Pronto se le unió un considerable número de otros sacerdotes, quienes formaron una iglesia católica independiente que por un tiempo fue muy fuerte en el norte de Nuevo México. Su nombre es venerado, aun al día de hoy, entre las familias más antiguas de Nuevo México; circulan muchas historias de milagros atribuidas al padre Martínez y sus compañeros; sus descendientes le reclaman con orgullo como su ancestro, y su tumba en Taos es visitada regularmente por peregrinos que acuden a honrar su memoria.[23] Al mismo tiempo, en el centro mismo de Santa Fe, frente a la Catedral, hay una estatua de Jean Baptiste Lamy.

Esa es la clase de catolicismo que ha formado al hispano, sea católico o protestante, haya oído o no de Bartolomé de Las Casas o del cura de Taos. Ese es el catolicismo dual, forjado en medio de sus propias contradicciones internas y caracterizado por una frase común entre los hispanos: «Soy católico, pero no creo en los curas.» No se trata de un anticlericalismo desbocado, al estilo de la Revolución Francesa. Se trata, más bien de una declaración que afirma que sólo son creíbles y dignos de confianza los curas que ministran al estilo del cura de Taos. En ese sentido, la autoridad no reside en el sacer-

---

[23] Ver Dora Ortiz Vásquez, *Enchanted Temples of Taos*, Rydal Press, Santa Fe, 1975. La autora es bisnieta del padre Martínez.

docio de la jerarquía, sino en el catolicismo, entendido en el sentido de la fe del pueblo y no en el de monopolio doctrinal de la jerarquía.

Lo que ocurrió en la Segunda Conferencia del Episcopado Latinoamericano en Medellín, en 1968, fue que la iglesia de los pobres, la de Las Casas, Beltrán y Claver, inspirada en el Concilio Vaticano Segundo y el papa Juan XXIII, conquistó por un momento a la jerarquía. Lo que ocurre en la actualidad de la Iglesia Católica latinoamericana es que hay una lucha entre esa «nueva iglesia», que en realidad es vieja, y la antigua comprensión del papel de la jerarquía heredada de los tiempos del Patronato Real.

Los católicos hispanos en Estados Unidos han pasado por experiencias muy similares. Hasta hace muy poco tiempo, las áreas geográficas con mayor población hispana dependían de una jerarquía eclesiástica no hispana, mientras que muchos sacerdotes hispanos, y en particular los que tenían mayor contacto con su rebaño, sabían de antemano que se les cerraban los más altos escalones de esa jerarquía. Esos católicos hispanos sabían que en medio de sus luchas podían contar con el apoyo de su iglesia sólo en el plano local, nunca en el plano nacional. Tal situación no era nueva. Se trataba más bien de una repetición de lo que ocurrió bajo el viejo régimen español y luego bajo los gobiernos nacionales de América Latina.

En sus parroquias, muchos sacerdotes trataban de implementar las decisiones tomadas por la jerarquía, mientras que otros trataban de responder a las necesidades de su rebaño aun a expensas de vivir al borde de la obediencia. No tomaban como su compromiso básico la preservación de las tradiciones —aunque eso era importante—, sino que más bien se comprometieron a luchar por la preservación del derecho de sus feligreses a ser ellos mismos, diferentes, no solo de los protestantes blancos, sino también de los católicos blancos.[24] Luchaban por el derecho de sus rebaños a existir como tales, a hacer una contribución significativa tanto a la sociedad como a la iglesia, y a recibir una justa porción de los frutos de esa sociedad.

Lo que ocurre en la Iglesia Católica hispana de Estados Unidos es muy semejante a lo que ocurrió en Medellín. Esta iglesia de los pobres se está haciendo escuchar. En los últimos años son muchos los hispanos que han pasado a ocupar posiciones de importancia, tanto en la jerarquía como en la dirección de programas e instituciones. Muchos de los que ahora son obispos fueron desalentados en sus comienzos por sus propios familiares porque no había futuro para el clero hispano en la iglesia. Pero ahora son parte de la jerarquía,[25] y muchos de ellos reflejan una actitud diferente de la tradicional, pues no son herederos de los obispos nombrados por la Corona, sino de la iglesia que lucha por la justicia para el pobre. Muchos católicos hispanos están muy conscientes de que

---

[24] Según el modo en que tradicionalmente se ha construido la noción de raza en los Estados Unidos, los latinoamericanos, por muy rubios o hasta nórdicos en apariencia, no son blancos. Es en ese sentido que se utiliza aquí el término «blancos».

[25] Al momento de la redacción original de este libro hay dos arzobispos hispanos (en San Antonio y Santa Fe), seis obispos diocesanos (en Fresno, Tucson, El Paso, Corpus Christi, Las Cruces, y Pueblo) y once obispos auxiliares [en Newark, Los Angeles (2), San Diego, Washington, Sacramento, Houston, Nueva York, Chicago, Miami, y Brooklyn]. Hay un total de 1.954 sacerdotes hispanos en Estados Unidos. En este número no se cuenta a Puerto Rico, donde el arzobispo y la jerarquía son puertorriqueños. Manuel J. Rodríguez, ed., *Directorio de sacerdotes hispanos en los Estados Unidos de América*, Herencia española, Forest Hills, Nueva York, 1986. Esos datos han sido ajustados por el Secretariado para Asuntos Hispanos.

tales personas representan un nuevo amanecer en la Iglesia Católica Romana.

La Conferencia Nacional de Obispos Católicos estableció una división hispanoparlante en 1969. En 1970 se nombró a su primer director, el señor Pablo Sedillo. Esta división, que desde 1970 se ha llamado «Secretariado para Asuntos Hispanos de la Conferencia Nacional de Obispos Católicos y de la Conferencia Católica de los Estados Unidos», ha insistido en la necesidad de que muchos hispanos participen en la planificación de la misión de la iglesia. El Primer Encuentro Nacional Hispano de Pastoral se celebró en junio de 1972, con la participación de 250 personas. El Segundo Encuentro se celebró en 1977. Ya para este segundo encuentro se desarrolló una nueva metodología, cuyo proceso de preparación para el Encuentro fue tan importante como el Encuentro mismo. Los planificadores afirmaron lo siguiente:

> El proceso que conduce al Segundo Encuentro debería servir para tomar la decisión histórica de renunciar a una iglesia de masas en favor de comunidades eclesiásticas pequeñas. En consecuencia, esta será la oportunidad para crear e intensificar estas comunidades por todo el país.[26]

Desde el principio se estableció que la participación en alguna de estas comunidades de base era requisito indispensable para asistir a los Encuentros. Se esperaba que los resultados del proceso y las conclusiones de los Encuentros llegaran a convertirse en carne y sangre en las Comunidades Eclesiales de Base (CEB). El tema central del Encuentro fue la evangeli-

---

[26] Secretariado para Asuntos Hispanos, *Proceedings of the II Encuentro Nacional Hispano de Pastoral*, National Catholic Conference, Washington, DC, 1977, p. 25.

zación. Se buscaba entender la evangelización en su sentido más amplio. El creyente se involucra en un proceso de por vida, a través del cual se acerca a Jesucristo mediante la consagración de su vida al evangelio. Esto le impulsará a compartir el mensaje con otros en palabras y hechos, y le estimulará a colaborar en la transformación del mundo.[27]

Ya para la preparación del Tercer Encuentro, las CEBs se contaban por miles en todo el país. Estudios, consultas y reflexiones venían de todos los niveles, sean éstos parroquias, diócesis o CEBs. Cuando se reunieron los 1.150 delegados en Washington en agosto de 1985, había ya entre esos católicos hispanos un amplio consenso en cuanto al plan de ministerio a seguir. De ese Tercer Encuentro salió el documento titulado *Pueblo hispano –Voz Profética*, que sería usado como base para la preparación del Plan Nacional Pastoral para Ministerios hispanos que sería presentado ante los obispos en 1987.

Como el informe final del Encuentro es muy amplio, pues cubre varios aspectos de la vida de la iglesia, me sería imposible hacer una reseña del mismo. Sin embargo, algunas citas ayudarán a comprender el espíritu de ese Encuentro de hispanos católicos:

> La Palabra de Dios nos fortalece en la tarea de denunciar las injusticias y abusos que sufrimos: la marginalización, el escarnio, la discriminación, y la explotación. Como pueblo peregrino, es en la Palabra de Dios donde encontramos motivación para nuestro diario compromiso cristiano.[28]

---

[27] *Ibid.*, p. 28.

[28] *Ibid.*, 1985, p. 77.

... hacemos un llamado a la comunidad cristiana (laicos, obispos, diáconos y sacerdotes) para que muestre
al mundo que ha sido la voluntad del Dios Creador
ordenar los recursos mundiales y las instituciones humanas para la salvación de los pueblos, y que por tanto
deben contribuir a la edificación del Cuerpo de Cristo.
Por esa razón es que como cristianos somos responsables de trabajar por la justicia social.[29]

... proclamamos un modelo de iglesia que acoge las
necesidades de su gente, que pone a disposición de
esa gente sus templos y facilidades, reconociendo que
la comunidad hispana es una comunidad pobre. Proclamamos un modelo de sacerdocio que se mantenga
en contacto con la gente a quien sirve. Que se dedique
a las personas y no a la administración de edificios
o al ejercicio del poder y el liderato en comunidades
pequeñas.[30]

La consecuencia de todo esto es que dentro de la tradición
hispana católica, tanto en Estados Unidos como en América
Latina, hay muchos que ya están preparados para el fin de la
era constantiniana. En Latinoamérica, la iglesia de los pobres
todavía coexiste con la iglesia de los poderosos y vive al borde
de la obediencia. Carece del apoyo de las estructuras de poder
y en algunos lugares es perseguida hasta el martirio. Cuando
desaparezcan los últimos vestigios de la era constantiniana,
esa iglesia estará preparada para vivir una nueva realidad,
porque en cierto modo, ya participa de ella. Los católicos hispanos de los Estados Unidos han aprendido a subsistir y hacer
vida religiosa sin el apoyo, ni de la cultura dominante, blanca

---

[29] *Ibid.*, p. 76.

[30] *Ibid.*, p. 125.

y protestante, ni tampoco de la subcultura dominante blanca católica. Los católicos hispanos parecen ser el segmento de la iglesia mejor preparado para la nueva realidad, a medida que el proceso posconstantiniano avanza.

La experiencia protestante

Aunque todos los hispanoamericanos tenemos un trasfondo católicorromano, muchos somos protestantes. La pujante comunidad hispana protestante de Estados Unidos tiene un origen doble, pues muchos pasaron al protestantismo siendo ya residentes de este país, mientras que otros ya lo eran antes de inmigrar a Estados Unidos. Así es que para comprender al protestantismo hispano estadounidense se nos hace necesario mirar tanto a Latinoamérica como a los Estados Unidos.

Al considerar el protestantismo tanto en América Latina como entre los hispanos protestantes de los Estados Unidos, me siento totalmente sorprendido, aunque no tanto ante lo que ha sucedido como ante mí mismo. ¿Qué ha pasado conmigo y con mis ideas? Cuando nuestros compañeros de escuela se persignaban al saber que éramos herejes, mis compañeros protestantes y yo encontrábamos fuerza y valor en la lectura de un libro que era muy popular entre los protestantes de la época. Ese libro era *El Imperialismo Protestante*, escrito por un protestante alsaciano, Frédéric Hoffet.[31] La tesis principal del libro es que el protestantismo, como sistema, contribuye al nivel de la cultura y de la vida. El libro comparaba aspectos de

---

[31] Frédéric Hoffet, *L'impérialisme protestant: Considération sur le destin inégal des peuples protestants et catholiques dans le monde actuel*, Flammarion, París, 1948.

la vida de países católicos y protestantes, desde el nivel de analfabetismo hasta las tasas de nacimientos ilegítimos.

Hoffet señalaba que la tecnología de los países protestantes era superior a la de los países católicos. Hacía además una lista de los males sociales y zozobras políticas que aquejaban a los países católicos, mientras que los países protestantes gozaban de una estabilidad social muy superior. Al menos en ese tiempo, la conclusión parecía irrefutable: El protestantismo era el sistema del futuro. No importaba que mis compañeros en la escuela se persignaran delante de nosotros. Del lado nuestro estaba la esperanza del futuro para nuestra sociedad y para las naciones del mundo. Lo que es más, esa visión y esperanza eran ya una realidad en las naciones más progresistas y avanzadas del mundo.

A los protestantes de Latinoamérica se nos creaba entonces una gran tensión, o al menos una postura ambivalente en relación con la cultura y la sociedad en que vivíamos. Por un lado vivíamos en oposición a nuestra propia cultura. Sin que lo supiéremos, esto significaba que todo protestante tenía que abrazar una postura anabaptista, colocándonos al margen de la sociedad a fin de ser fieles discípulos. «No fumar, no tomar alcohol, no bailar» no eran meras prohibiciones de corte legalista, como nos parecen hoy, sino que eran una manera de recordarnos que la sociedad que nos rodeaba era una sociedad corrupta, a la que ya no pertenecíamos. Vivíamos una realidad escatológica, no tanto en el sentido de que estuviésemos en los últimos días, sino en el sentido de que esperábamos una realidad superior.

Por otro lado, no siempre tuvimos una idea clara sobre esa «nueva ciudad». ¿Sería construida en la historia por manos humanas o por intervención divina? Lo que leíamos en Hoffet era que esa «nueva ciudad» ya era casi una realidad en los países que habían abrazado la fe protestante. Luego nuestra postura contra la cultura circundante era no sólo escatológica sino también extraterritorial. La vara con que medíamos a nuestra sociedad era doble: por un lado la confrontábamos con el reino de Dios, y por otro lado, con los países de la comunidad noratlántica.

Al menos en las primeras etapas del protestantismo en América Latina, esta posición no conducía necesariamente a una vida en contradicción con la sociedad, ya que a su entrada a esa sociedad el protestantismo era considerado como una fuerza liberadora. Diego Thomson, quien fuera el primer misionero protestante en llegar a América Latina, venía como representante de un nuevo método de educación pública y a la vez representaba a la Sociedad Bíblica Británica y Extranjera.[32] Ni bien la liberación política de España se hizo realidad, Thomson viajó por todo el continente y la región del Caribe. Su mensaje anunciaba una liberación intelectual que superara el obscurantismo de la Iglesia Católica y la Inquisición. Los grandes libertadores de América, Simón Bolívar, Bernardo O'Higgins y José de San Martín recibieron con mucho entusiasmo tal mensaje y a su mensajero. Estos próceres estaban convencidos de que sólo la implementación de ideas, principios y mentalidad de la comunidad noratlántica podrían ayudar a América Latina a salir del atraso en que el dominio español la había dejado.[33] Una de las grandes acciones revo-

---

[32] Sobre la vida y obra de Thomson, ver J. C. Varetto, *Diego Thomson*, La Aurora, Buenos Aires, 1918.

[33] Bolívar y algunos de los principales líderes latinoamericanos de la independencia creían que la tradición de autoritarismo y obscurantismo se habían enraizado en el continente de tal modo que o se rompía con esa tradición, o la democracia no era posible. A este efecto, Bolívar llegó a

lucionarias fue poner la Biblia en manos del pueblo, fomentando así su libre lectura y examen. Otra contribución a la liberación del pueblo fue su libre participación en los cultos protestantes. La libre participación del laicado en los asuntos de su iglesia se anunciaba como práctica para la democracia. Recuerdo muy bien la satisfacción con que les hablaba a mis compañeros de escuela sobre mi derecho al voto en asuntos que afectaban la vida de mi iglesia.

La obra misionera era solamente una de las fuentes del protestantismo en América Latina. Otra fuente fue la gran masa migratoria a la parte sur del continente (Argentina, Uruguay, Brasil y Chile). Esta inmigración desde los países del norte de Europa fue ampliamente buscada y estimulada por los líderes de esos países del sur del continente, pues estaban convencidos de que la democracia sólo podría florecer en América con la ayuda de una población de vasta tradición y ejercicio democrático. La libertad religiosa era requisito indispensable para la inmigración de los europeos, y les fue concedida para estimular su inmigración. Tal libertad no había sido incluida en el programa original de las guerras de independencia. Sin embargo, pronto se hizo insostenible el ofrecer libertad religiosa a los inmigrantes y no al ciudadano nativo, por lo que la libertad religiosa se fue generalizando en todos nuestros países. El contacto entre las dos comunidades pronto produjo

---

pensar en la factibilidad de poner el continente en un tutelaje temporal bajo Gran Bretaña. A la vez creía que Estados Unidos le apoyaría en sus esfuerzos hacia la unificación de una Hispanoamérica democrática. Pero tanto Bolívar como muchos en su generación se decepcionaron con la política escurridiza de Estados Unidos en el Congreso de Panamá hacia ese ideal. En todo caso, muchas de las jóvenes repúblicas adoptaron la política de atraer a la inmigración europea, sobre todo la del Atlántico Norte, con la esperanza de introducir nuevas industrias, nuevas formas de cultivo y una tradición de gobiernos democráticos.

un núcleo de protestantes nativos.[34] A medida que esa comunidad se desarrollaba y culturizaba, muchos de los descendientes conservaron la fe de sus padres, dando paso a una
importante comunidad protestante nativa.

Otras comunidades protestantes en América Latina surgieron de la actividad misionera de latinos exiliados en Estados
Unidos. Tal es el caso de las primeras comunidades protestantes en Cuba, que surgieron de la actividad misionera de cubanos exiliados en Florida.[35] Esos exiliados entraron en contacto
con el protestantismo en Cayo Hueso y Tampa, pero ya para
la década del 1870 tenían sus propios pastores, educados en
seminarios de Estados Unidos. Aprovechando que el gobierno español de la Isla de Cuba adoptó por aquel entonces una
política liberal, la comunidad protestante de Florida comenzó actividades misioneras en la Isla. Muchos de los exiliados
regresaron a Cuba, y una vez allí establecieron iglesias que
luego se conectaron con las denominaciones protestantes de
los Estados Unidos. La vuelta a la Isla de grupos de exiliados
creció después de 1898. Entre ellos se contaba buena cantidad
de pastores, que constituyeron un primer e importante grupo
de líderes de la naciente iglesia protestante cubana. El trabajo
misionero preliminar ya había sido hecho cuando llegaron los
primeros misioneros enviados por las denominaciones estadounidenses. Mientras tanto, un viajero puertorriqueño que
había conseguido una Biblia en la Islas Vírgenes regresó al

---

[34] Hasta donde se sabe, los primeros sermones en español en Argentina y
Uruguay fueron predicados por el escocés John F. Thomson, miembro
de la comunidad inmigrante. Ver J. C. Varetto, *El apóstol del Plata: Juan F.
Thomson*, La Aurora, Buenos Aires, 1943.

[35] He escrito un compendio de este proceso entre episcopales, presbiterianos y metodistas en *The Development of Christianity in the Latin Caribbean*,
Eerdmans, Grand Rapids, Michigan, 1969, pp. 91-95.

pueblo de Aguadilla en Puerto Rico y fundó allí una organización llamada «Creyentes en la Palabra». Este grupo se afilió luego a la Iglesia Presbiteriana.

Finalmente, grupos menores de protestantes se formaron en América Latina por separaciones de la Iglesia Católica Romana. El presidente de México Benito Juárez tuvo frecuentes conflictos con la jerarquía católica, a la que consideraba muy aristocrática y retrógrada. Varios sacerdotes con sus congregaciones se separaron de la Iglesia Católica para ese tiempo, siendo el propio Juárez uno de los que hacía vida religiosa en una de estas congregaciones. Más tarde, estas congregaciones pasaron a ser parte de la Iglesia Episcopal.[36]

La misma ambivalencia de la nueva corriente protestante en América Latina en cuanto a la cultura del lugar creó una dualidad en nuestra eclesiología. La iglesia protestante latinoamericana fue desde sus inicios, y aún es en el presente, una iglesia *para* los pobres, por muchas razones y sólo con algunas excepciones. Su gran éxito ha sido la educación de los niños pobres, el trabajo con los campesinos, la obra médica en áreas de gran necesidad, la alfabetización, y en especial la proclamación de las buenas nuevas a tanta gente que nunca escucha buenas noticias.

Al mismo tiempo, esta iglesia apenas podía ser la iglesia *del* pobre, ya que había sido moldeada a la imagen de la comunidad noratlántica. Sus ideales apuntaban a la iglesia de clase media de Estados Unidos, de la que recibía apoyo económico y dirección teológica. La ideología que estaba detrás del protestantismo que venía a América Latina era la ideo-

---

[36] T. S. Goslin, *Los evangélicos en la América Latina*, La Aurora, Buenos Aires, 1956, pp. 95, 103.

logía burguesa del siglo 19: la educación como instrumento
para resolver los problemas nacionales; el gobierno en manos
de la clase educada; libertad de pensamiento y de culto; libre empresa y recompensa al esfuerzo personal. Se consideraba que el atraso de nuestros países latinos se debía a que
esos elementos ideológicos no se habían puesto en práctica.
Sólo la aplicación de esos principios nos redimiría de siglos
de obscurantismo y autoritarismo católicorromano. Se creía
que si se abandonaba finalmente esa herencia de atraso, nuestros países se unirían al bienestar y progreso económico de la
comunidad noratlántica. Se creyó que a través de la vida en
la iglesia y el mejoramiento del nivel moral, el pobre podría
dejar de ser pobre y pasar a la clase media. Los problemas de
pobreza en la vida del campesino podrían resolverse mediante la educación, mejor salud y desarrollo de la tecnología en
el campo. Así es que la solución y el éxito se aseguraban con
los recursos descritos arriba, trabajo arduo y vida limpia. Esa
era la fórmula para salir adelante. Podría decirse que el resultado de todo esto fue que en cada ciudad latinoamericana
había numerosos profesionales, comerciantes y otros líderes,
que habiendo nacido en la más triste pobreza, conocieron el
éxito y progresaron gracias a la Iglesia Protestante. Claro que,
visto de esa manera, lo que se implica es que la falta de éxito
se asocia con la vagancia y el vicio. Por consiguiente, muchos
de los que sí progresaron eran ahora de opinión de que si ellos
lo lograron, otros podrían hacerlo igualmente.

Esa fue, y hasta cierto punto todavía es, la ideología de las
iglesias «históricas». A través de la educación, principalmente, iglesias como la Metodista, Presbiteriana, Episcopal y otras
han penetrado la clase media de nuestros países. Las escuelas e iglesias protestantes fueron de gran utilidad para la es-

calada de muchos a la clase media en tiempos de expansión económica. De esa manera, la ideología burguesa y el protestantismo parecieron confirmarse por los miles de protestantes del siglo 19 y principios del 20 que lograron escalar al éxito.

Con el siglo 20 se introdujo una versión diferente de protestantismo. El inicio del fundamentalismo como movimiento con conciencia de sí mismo puede establecerse en la Declaración de Niagara Falls de 1895. El debate entre fundamentalistas y liberales repercutió en América Latina desde las primeras décadas del siglo 20. Para mediados del siglo ya se habían establecido numerosas iglesias fundamentalistas en el continente latinoamericano. Grandes sectores de las iglesias «históricas» también siguieron esa orientación. Sin embargo, el cambio en el protestantismo latinoamericano fue en realidad mínimo. Quizá el cambio más significativo ocurrió en una devaluación de la educación, pues se sospechaba que la educación como tal podría contribuir a minar la autoridad de las Escrituras. La libertad de pensamiento, aunque estimulada en teoría, era restringida en cuanto a cuestiones teológicas. Escaseaban los fundamentalistas que dudasen de los principios del esfuerzo propio y la libre empresa, o del posible éxito de la clase media con base en el mejoramiento individual de los creyentes. Aun cuando esta clase de protestantismo se movía principalmente entre las clases bajas, siempre apuntaba hacia los ideales y objetivos de la clase media.

Apareció entonces la enorme marejada pentecostal. El avivamiento de la calle Azusa comenzó en Los Angeles en 1906, y ya para 1910 el movimiento había penetrado con gran fuerza en Chile. La Conferencia Anual de la Iglesia Metodista Chilena condenó la práctica carismática de grupos que estuviesen dentro de la iglesia. Estos grupos se separaron y formaron la Iglesia Metodista Pentecostal. La nueva denominación comenzó con tres iglesias, pero muy pronto sobrepasó en número a la iglesia madre para convertirse en una de las denominaciones más grandes de América Latina. Sucesos como ese también ocurrieron en otras partes del continente, convirtiendo al pentecostalismo en la forma característica del protestantismo en Latinoamérica.

El pentecostalismo latinoamericano es diferente al fundamentalismo, aun cuando los dos guardan gran similitud en el manejo de las Escrituras. El fundamentalismo es mucho más rígido en su estructura y liderato, la mayor parte de los cuales son todavía extranjeros. En muchos grupos fundamentalistas existe el concepto consciente o inconsciente de que sólo el misionero estadounidense es capaz de guardar la pureza de la fe. Por consiguiente, no hay confianza en que el converso latinoamericano pueda hacerlo con la misma efectividad. Esa es la razón por la que, aun cuando el fundamentalismo ha crecido, no puede igualarse al explosivo crecimiento pentecostal. Estos, por el contrario, ofrecen una mezcla de rigidez y flexibilidad. Toda práctica humana e institucional es provisional frente al poder y libertad del Espíritu Santo. El otro punto importante es que el movimiento pentecostal en Latinoamérica es autóctono, más que un producto de misioneros pentecostales foráneos. Muchas de las iglesias que no son totalmente autóctonas se han «indigenizado» con el tiempo. En consecuencia, el movimiento goza de gran libertad para moverse en medio de la cultura en que reside.[37]

---

[37] Para conocer dos enfoques diferentes y a veces conflictivos, sobre todo en el caso de Chile, compárese Christian Lalive D'Epinay, *El refugio de las masas: Estudio sociológico del protestantismo chileno*, Editorial del Pacífico, Santiago de Chile, 1968, con Emilio Willems, *Followers of the New Faith: Culture Change and the Rise of Protestantism in Brazil and Chile*, Vanderbilt University Press, Nashville, 1967.

Por esas razones, se hace muy difícil caracterizar al movimiento pentecostal latinoamericano. Es cierto que una de sus características es la tendencia escapista, cuya fe se dirige en buena parte hacia los asuntos de la eternidad. Pero por otro lado despliega un interés por las necesidades físicas del ser humano, y ese interés es a veces mayor que el que muchos están dispuestos a reconocerles. Aparte del toque carismático característico, la teología es la misma que han enseñado los misioneros fundamentalistas: la inspiración literal de las Escrituras, la salvación del alma mediante la fe en Cristo, y la necesidad de llevar una vida de pureza en espera de la vida eterna en el cielo. Aun cuando la ideología que yace detrás del movimiento es igual a la de la mayoría del protestantismo latinoamericano, la manera y estilo de la vida diaria, así como las circunstancias en que se desenvuelve, no parecen caber en esa ideología. La mayoría de ellos son pobres, y han aprendido por experiencia propia que la pobreza no es siempre producto de la vagancia, de los vicios o de la ignorancia. Entonces, el cuadro que se nos presenta es el de una gran comunidad en transición, en busca de vías hacia el futuro; en otras palabras, en busca de una realización que le es incierta todavía.[38]

---

[38] Se ha añadido en años más recientes una nueva ola de pentecostalismo y fundamentalismo. Esto está relacionado con la «iglesia electrónica» y la Nueva Derecha de los Estados Unidos, y ha tenido bastante éxito en México y Centroamérica, sobre todo Guatemala. Estos grupos bien financiados llegan desde los Estados Unidos con un mensaje escapista, como ha ocurrido en otras ocasiones, y con gran temor de que se disemine el fermento revolucionario en la región. Para ellos, la gran apostasía del catolicismo romano, así como de buena parte del protestantismo, es su participación en los asuntos políticos. En tiempos pasados se predicaba que la apostasía de la Iglesia Católica era el «papado». Ahora lo son la teología de la liberación, las comunidades de base y cualquier otra forma de participación política. En relación con esos aspectos, esos grupos son virulentamente anticatólicos. Esta situación ha generado una tensión política y religiosa sin

En todo caso, y hasta tiempos muy recientes, la característica más marcada del protestantismo latinoamericano ha sido un fuerte anticatolicismo. El conflicto con la cultura viene porque toda ella está impregnada de lo católico. La enajenación hacia su propia cultura hace que el protestante latinoamericano fije frecuentemente su vista en los países protestantes, especialmente Estados Unidos, que se vuelve entonces el modelo de lo que anhela para sí y para su patria. Luego, el enajenamiento de esta clase de protestantismo no sólo ha sido en favor de una realidad fuera de este mundo, sino también de otra realidad en este mundo, pero fuera de su sociedad.

Una de las fuentes de las que se ha nutrido el protestantismo hispano de Estados Unidos ha sido la inmigración. La misma ha sido inspirada principalmente por la ideología protestante, aunque precipitada por factores políticos y económicos. Ya he descrito la experiencia de la inmigración en el primer capítulo, de modo que no hay necesidad de volver sobre ello. Baste decir que el «sueño americano» no se ha materializado para muchos de estos inmigrantes, quienes han comenzado

---

precedentes, sobre todo en países como Guatemala, donde las patrullas de la muerte han asesinado a cientos de catequistas laicos y a organizadores de comunidades de base. Esos «nuevos» protestantes dicen ser apolíticos, pero en realidad apoyan el statu quo y ni dicen ni hacen nada en contra de los abusos que se cometen con los pobres o con quienes luchan por cambios sociales y políticos. Es de temerse entonces que si tales cambios llegaran a darse, podrían ocurrir represalias en contra de esos «nuevos» protestantes. Entonces, muchos de los que los apoyan en Estados Unidos levantarán la voz que nunca levantaron en contra de los comandos de la muerte. El lector sabrá que esta situación ha empeorado después de que se escribieron estas palabras, en 1989. Además, en la situación presente habría que añadir el impacto del «neopentecostalismo» que hace de la fe y de Dios mismo instrumentos para alcanzar el éxito personal, y que en algunos casos se ha convertido en un gran negocio en el que no los creyentes, sino los dirigentes, alcanzan la fortuna económica.

a poner en dudas la ideología que lo ha sostenido. Es por eso que algunos de ellos se han convertido en una fuente de autocrítica dentro del protestantismo estadounidense.

No todos los protestantes hispanos de Estados Unidos llegaron al país como protestantes, ya que muchos fueron convertidos en Estados Unidos mediante procesos muy semejantes a los que tuvieron lugar anteriormente en América Latina. En el siglo 19, la Iglesia Católica Romana pasaba por una etapa de autoritarismo reaccionario, especialmente bajo el papa Pío IX. Al mismo tiempo, el protestantismo era visto como la vanguardia del progreso. Después de la Guerra México-Estadounidense, los católicos mexicanos de todos los nuevos territorios conquistados quedaron bajo la jerarquía católica de los invasores, cuyos representantes entendían escasamente su cultura mexicana y estaban convencidos de que su tarea consistía en «americanizar» a los mexicanos católicos. De hecho, el primer obispo méxicoestadounidense no se nombró sino hasta mediados del siglo 20. Todo esto dio lugar a sentimientos anticlericales semejantes a los surgidos en América Latina para el tiempo de la independencia. Esos sentimientos anticlericales favorecieron la entrada del protestantismo al pueblo latino en Estados Unidos.

Tanto la Guerra México-Estadounidense como la Guerra Hispano-Estadounidense, en la que Estados Unidos conquistó a Puerto Rico, fueron libradas bajo una especie de ideología religiosa. Se trataba de pelear contra el atraso que representaba el catolicismo antidemocrático. Aun después de las guerras se utilizó esa ideología para justificarlas. Fue así como muchos de los conquistados llegaron a creer en la legitimidad de esa ideología. Muchos llegaron a ver a Estados Unidos y el protestantismo como los campeones contra el obscurantismo medieval. Para muchos, esas fuerzas representaban el futuro y por tanto quien aspirara a un futuro brillante para toda la humanidad debía unirse a esas fuerzas, cuyo empuje era no sólo positivo, sino además irresistible. Mientras muchos se aferraban al catolicismo romano como medio de afirmar su autenticidad y dignidad, sin importarles que la jerarquía fuese foránea, otros se acercaban al protestantismo que prometía ser la religión del futuro, así como un medio para alcanzar la participación plena en la nación a la que se habían unido involuntariamente.

Sin embargo, no es esto lo que más ha atraído a los protestantes hispanos. El principal atractivo del protestantismo han sido las Escrituras y su uso —esa misma Biblia que el catolicismo nos enseñó a respetar, aunque no a leer. Estudiar y leer la Biblia pareció ser una verdadera revolución liberadora para el hispano, tanto de Estados Unidos como de América Latina. Por ello, el hispano protestante difícilmente podía entender, después de tal experiencia, cómo les era posible a otros permanecer atados a una iglesia que había prohibido o desalentado la lectura de la Biblia. Tal hispano haría todo cuanto estuviese a su alcance para que otros tuviesen la misma experiencia.

Lo que ocurre hoy es que la cuerda que anudaba nuestras ambivalencias se ha quebrado, dando paso a una nueva expresión del protestantismo entre los hispanos. Esta nueva postura, con su herencia anticultural y cuasi anabaptista en lo que se refería a su participación en la vida del resto de la sociedad, ha derivado de esa herencia una capacidad de crítica hacia la sociedad y cultura que le rodea. Esto le permite adoptar una actitud más crítica ante la sociedad y la religión noratlánticas —esa misma sociedad y religión a las que Hoffet prodigaba sus mejores alabanzas, pero que hoy muchos hispanos ven como parte del orden caduco que ha de perecer. Del otro polo de nuestra ambivalencia hemos retenido la capacidad de comprender que la vida de los cristianos en la sociedad, aunque siempre imperfecta, debe ajustarse al significado de los valores cristianos, y particularmente a la visión de ese futuro que todavía esperamos.

Esto no quiere decir que todos los protestantes hispanos piensen de la misma manera. Hay muchos que todavía se aferran a los paradigmas anteriores, afirmándose en la idea de que si la mayor parte de la población se hace protestante, se resolverán automáticamente todos los males sociales. Por ello, las diferencias que causan división entre cristianos en América Latina son semejantes a las que dividen a los hispanos en Estados Unidos.

Hacia un nuevo ecumenismo

Al abrazar el protestantismo, los hispanos en los Estados Unidos se colocan en una tensión religiosa. Por un lado, los católicos los tienen, no sólo por herejes, como les enseñó la jerarquía, sino también por traidores a su tradición y a su gente. Por el otro lado, ellos mismos ven en los católicos no sólo a herejes antibíblicos, sino también a idólatras que no son sino reliquias de un pasado obscurantista.

Los cambios ocurridos en el catolicismo en las últimas décadas han transformado significativamente el panorama, pues lo sucedido en tiempos del papa Juan XXIII y el Segundo Concilio Vaticano no es menos que un milagro. Ni aun los protestantes más recalcitrantes pueden negarse a conceder crédito a lo que ha pasado, pues su propia teología afirma que pueden ocurrir grandes cosas cuando las Escrituras comienzan a leerse de manera renovada y la iglesia se embarca en un peregrinaje dominado por un espíritu de obediencia. Un cambio de gran importancia dentro del catolicismo romano ha sido la mayor responsabilidad y participación del laico en los niveles locales de la iglesia. Esto ha impulsado a los hispanos católicos a una mayor participación dentro del catolicismo romano, no sólo en sus niveles laicos, sino también en su jerarquía. Un resultado visible de esta renovada participación de los hispanos en el catolicismo romano fue la consagración del primer obispo méxicoestadounidense. Este obispo y otros han hecho ver sus discrepancias con la política aplicada por sus predecesores blancos en la región, dándose a la tarea, junto a otros sacerdotes hispanos, de organizar la acción cristiana en las comunidades en pos de una teología netamente hispana, y procurando que en general la Iglesia Católica hispana goce de un *aggiornamento* como el inspirado por el papa Juan XXIII.

Mientras tanto, los hispanos protestantes han estado también en su propio peregrinaje. Además de su propia experiencia de injusticia y enajenación, que contradice repetidamente a la ideología que antes asociaban con el protestantismo, sus ojos se han abierto gracias a otros acontecimientos que les muestran otras dimensiones de la realidad. El suceso más significativo ha sido la lucha por los derechos civiles. Se trata en cierta medida de un conflicto entre protestantes. En esa lucha llegamos a ver que el protestantismo blanco no representaba las fuerzas del progreso y la libertad, como se nos había enseñado. Lo que aquí aparecía era, de hecho, una gran anomalía: los protestantes blancos que citaban la Biblia constantemente la contradecían abiertamente en su vida diaria; y por el otro lado, algunos que no decían mucho acerca de la autoridad de la Biblia tenían una comprensión más clara acerca de las demandas bíblicas de amor y de justicia. Esto ha hecho que muchos hispanos protestantes renuncien a creer en las posiciones fundamentalistas, al menos en el sentido tradicional. Esta comunidad mantiene un alto concepto acerca de la autoridad de las Escrituras, pero a la vez crece en ella la sospecha de que hay un fundamentalismo que es burdamente antibíblico. En consecuencia, esa comunidad busca nuevas formas de interpretación de la Biblia —formas que, respetando su autoridad, resulten ser diferentes a la interpretación fundamentalista. El resultado neto es que los hispanos protestantes nos encontramos frecuentemente transitando la misma ruta que los católicos.

Hay en este nuevo ecumenismo un lado práctico y político. El movimiento de los derechos civiles de los afroamericanos tiene equivalentes en la comunidad hispana, y en estos se juntan los católicos y los protestantes. Esto ocurre, por ejemplo, en los esfuerzos por sindicalizar a los trabajadores agrarios de California, en la organización de las comunidades en los barrios de San Antonio y Los Angeles, en las luchas por la independencia de Puerto Rico, y en la búsqueda de mayor participación política en Nueva York y Chicago. Hispanos protestantes y católicos luchan brazo a brazo en estas batallas comunes, a la vez que aprenden a destruir los prejuicios que por tanto tiempo les han dividido. Bien sé que muchos hispanos, tanto católicos como protestantes no participan en estas luchas, pero entre los que participan nace un nuevo ecumenismo.

Lo que es más, este nuevo ecumenismo no se limita a asuntos de «vida y obra», sino que incluye también lo que se ha llamado tradicionalmente «fe y orden». De hecho, el reclamo de tales grupos es precisamente que no puede hacerse división entre vida y obra por un lado, y fe y orden por otro pues, a medida que vamos viviendo el evangelio en nuestras luchas cotidianas, vamos descubriendo nuevas dimensiones acerca del significado de nuestra fe y del orden propio de la iglesia.

Así progresa la nueva reforma. Esta reforma surge, como en el siglo 16, en la periferia del cristianismo, es decir, en el Tercer Mundo y entre las minorías de los centros tradicionales del cristianismo. Algunas de las implicaciones doctrinales de esa reforma serán tratadas en los capítulos que siguen.

5

Hacia una lectura de la Biblia en español

Durante la segunda mitad del siglo 20 hubo en Estados Unidos grupos fundamentalistas que condenaban la nueva *Versión Revisada de la Biblia* e insistían en que la única versión que debería usarse era la antiquísima del *Rey Jacobo* (*King James Version*). En cierta ocasión, a alguien que se sentía muy molesto porque su pastor empleaba la *Versión Revisada* en lugar de usar la versión «original» del *Rey Jacobo*, le dije que la Biblia fue escrita originalmente en español, y que después Dios la tradujo al hebreo y al griego, porque nadie sabía español todavía. Naturalmente, mi propósito al hacer tal comentario era hacerle ver cuán ridículo es afirmar que una versión particular de la Escritura es la única que merece el título de Palabra de Dios. Empero no es eso a lo que me refiero cuando propongo «leer la Biblia en español». Tampoco me refiero a leerla en versión castellana — lo cual no sería nada nuevo. Me refiero a algo mucho más específico: si es cierto que nuestra cultura hispana produce una perspectiva histórica y teológica que le es característica, entonces es lógico que aportemos una perspectiva particular en cuanto a la interpretación de las Escrituras. Creo que la articulación de esa perspectiva hermenéutica hispana podría sernos muy útil, no solamente a los hispanos, sino también a la iglesia en general.

Una historia que pierde la inocencia

Un punto en donde bien puede darse tal contribución se halla en la relación que hemos de establecer entre la lectura no inocente que hacemos de nuestra propia historia y el modo en que la Biblia presenta la historia del pueblo de Dios, pues en este caso también se trata de una historia allende la inocencia.

Cuando se estudia la Biblia con cuidado y respeto, más allá de las meras «historietas bíblicas», resulta muy difícil seguir idealizando a sus héroes. Veamos sólo algunos casos. Para proteger su integridad física, Abraham miente al decirle al Faraón que Sara es sólo su hermana, y de paso hace que el Faraón, sin saberlo, pase la noche con una mujer casada. Jacob se convierte en un engañador profesional al despojar a su propio hermano de la primogenitura, y a su suegro de sus ovejas.[1] El pueblo de Israel en Egipto es descendiente, no sólo de José, sino también de sus hermanos, los cuales le vendieron como esclavo y le mintieron a su padre. A pesar del llamado que Dios le hizo para que liberte a su pueblo de los egipcios, Moisés resiste a Dios. Poco más tarde, en el desierto, los israelitas se negaban a seguir a Moisés, a la vez que anhelaban volver a la comida que habían dejado atrás, pues el maná les hastiaba. Con todo esto demostraban claramente su infidelidad e inconstancia. Al llegar a la tierra prometida, decayeron en su ánimo, porque los habitantes que allí vivían les parecían gigantes. Frente a ellos, el pueblo de Israel se consideraba a sí mismo como pequeñas langostas.

---

[1] El lugar de esta y otras tradiciones similares en el enfoque bíblico de la historia ha sido estudiado por Susan Niditch, *Underdogs and Tricksters: A Prelude to Biblical Folklore*, Harper & Row, San Francisco, 1987.

Considérese además el caso del libro de los Jueces, el cual
es un ciclo de apostasía, castigo, arrepentimiento y redención,
para luego regresar otra vez a la apostasía.

> Entonces el SEÑOR hizo surgir caudillos que los libra-
> ron del poder de esos invasores. Pero tampoco escu-
> charon a esos caudillos, sino que se prostituyeron al
> entregarse a otros dioses y adorarlos. Muy pronto se
> apartaron del camino que habían seguido sus antepa-
> sados, el camino de la obediencia a los mandamientos
> del SEÑOR. Cada vez que el SEÑOR levantaba entre
> ellos un caudillo, estaba con él. Mientras ese caudillo
> vivía, los libraba del poder de sus enemigos, porque
> el SEÑOR se compadecía de ellos al oírlos gemir por
> causa de quienes los oprimían y afligían. Pero cuando
> el caudillo moría, ellos volvían a corromperse aún más
> que sus antepasados.
>
> Jueces 2.16-19a

Hay que decir entonces que los héroes de la Biblia no son
héroes como esos caballeros andantes de las novelas, que bri-
llan con sus bruñidas armaduras. Después de todos sus abusos y explotaciones, Gedeón cobró como tributos los zarcillos
de oro de sus seguidores, con los que fabricó un ídolo al cual
él y toda su familia adoraron. Su hijo se convirtió en un tirano,
entre cuyos crímenes está el haber matado a setenta de sus
hermanos. El mismo Sansón, de cuyas historias de valentía y
fortaleza disfrutamos tanto en nuestra niñez, era un arribista
social y un mujeriego.

El reino de Israel se establece entonces. Pero de nuevo nos
encontramos con que la historia es ambigua. Muchos pensa-
ron desde el principio que el establecimiento del reino era una
apostasía porque, en vez de aceptar a Yahvéh como único rey,
Israel escogió el camino y costumbres de sus vecinos. Tómese

como ejemplo la gestión de su primer rey, la cual fue exitosa por un lado, pero también fue un fracaso, ya que su dinastía fue descontinuada. Tampoco resulta admirable la conducta del gran rey David, quien ordenó matar a uno de sus generales para apoderarse de su esposa, y no sintió remordimientos por semejante crimen hasta que el profeta Natán lo confrontó con su pecado. Su hijo Salomón pidió a Dios que le diese sabiduría, y fue el rey que construyó el gran templo de Jerusalén. Sin embargo, actuó en contra de la voluntad de Dios al usar su poder para su propia gloria y acumular enormes riquezas que al fin y al cabo le arrastraron a la idolatría. Luego el país se dividió en dos reinos cuyas historias siguieron un rumbo tortuoso hasta que tanto Samaria como Jerusalén cayeron frente a sus enemigos. Durante todo ese tiempo, no faltó la voz de los profetas, quienes denunciaron el pecado que tanto los reyes como otra gente poderosa no sólo cometían sino que respaldaban y promovían. Resulta sorprendente que la actividad —en cierto modo subversiva— de los profetas vino a ocupar mucho más espacio en las Escrituras que las crónicas de los reyes. En esas crónicas encontramos tanto los logros como los fracasos y crímenes de los reyes. Pero es interesante que tampoco los profetas salen ilesos, pues la Biblia también los presenta a ellos como seres humanos, con todos sus defectos, falsos motivos y debilidades.

La inocencia tampoco gobierna el modo en que el Nuevo Testamento describe la historia. Consideremos la lista de mujeres mencionadas en la genealogía del Evangelio de Mateo. El primer caso es el de Tamar, quien se unió en relación incestuosa con Judá, y de quienes nacieron Fares y Zera. El siguiente caso es el de Rajab, quien ejerciendo la prostitución en Jericó escondió y protegió a los espías israelitas, por lo que salvó sus vidas y la de su familia. El otro caso es el de Rut, quien llegó a ser la esposa de Boaz y antepasada de David y de Jesús, aun cuando era una mujer gentil. Poco después el Evangelio de Mateo dice: «Y David engendró a Salomón de la que fue mujer de Urías», con lo cual no trata de ocultar el crimen de David. El último caso mencionado es el de María, quien para los que tenían el conocimiento, era una mujer virtuosa escogida por Dios; pero para el resto de la gente, incluyendo a José hasta que conoció el secreto, no era sino una madre soltera. Todo esto es totalmente distinto a las genealogías «inocentes» tan comunes entre quienes se empeñan en demostrar que los privilegios de que disfrutan vienen de derechos ancestrales, mientras que esconden cuidadosamente los trapos sucios que hay en sus armarios genealógicos.

La situación de los discípulos y de la iglesia primitiva tampoco es mejor que lo que acabamos de ver. Ni siquiera los sucesos de Pentecostés cambiaron totalmente la situación, pues muy poco tienen que ver con el Nuevo Testamento las leyendas sobre los grandes hechos atribuídos a los apóstoles, ni algunos informes espurios sobre sus muchos viajes por el mundo predicando el evangelio. Un caso notable es el de Pedro, que parece estar tan confundido después de Pentecostés como lo estuvo antes, ya que en reiteradas ocasiones el Espíritu Santo tiene que llamarle a la obediencia. No olvidemos que entre los primeros creyentes estuvieron personas como Ananías y Safira, Simón el mago, los «santos» de la iglesia de Corinto, los judaizantes que invadieron las iglesias de Pablo en Galacia, y los tibios laodicenses del Apocalipsis.

En pocas palabras, las historias bíblicas no son inocentes, sino que van mucho más allá de la inocencia. Los únicos héroes auténticos en la Biblia son el Dios de la historia y la historia misma, que sigue su imparable marcha a pesar de los fracasos de sus protagonistas. Ya que la historia hispana tiene la misma naturaleza, es posible que tengamos una ventaja hermenéutica sobre aquéllos cuya historia permanece todavía al nivel de una inocencia culposa, y quienes por lo tanto tienden a leer la Biblia de la misma manera en que leen su propia historia.

Quienes conciben y leen su historia en términos de pureza y altos ideales se excluyen a sí mismos del poder y la inspiración de las Escrituras. Tal no el caso de los hispanos, pues bien sabemos que en nuestra formación como raza hay actos de violencia de proporciones cósmicas, en los que nuestros ancestros españoles violaron a nuestras madres indígenas. Los hispanos no podemos esconder tales trapos sucios en nuestros armarios, pues están en el corazón mismo de la realidad que nos define como pueblo. Leer la genealogía de Jesús en el Evangelio nos consuela como pueblo, pues encontramos allí, no sólo a gentiles como nosotros, sino casos de incesto, y aun la violación de Betsabé por parte del rey David. En vez de esconder los trapos sucios en el armario genealógico de Jesús, los Evangelios los exponen, de modo que entendamos que el Salvador ha venido, no para convertirse en un poderoso aristócrata de sangre azul, sino para convertirse en uno de nosotros.

Las consecuencias de una lectura no inocente de la Biblia

Si no queremos enfrentar las duras realidades que se nos presentan en la Biblia, la alternativa sería hacer una selección conveniente de pasajes de las Escrituras, como ya he dicho que ocurre con buena parte de la historia norteamericana. De la biografía de Benjamín Franklin se escoge cuidadosamente que fue un gran intelectual, diplomático, y si se quiere hasta un excéntrico; pero se olvida y se oculta su codicia por las

tierras de los indígenas. Una lectura inocente de la Biblia ex-
cluye las trampas de Jacob, el fratricidio que casi cometen
sus hermanos contra José, las veleidades de los israelitas, las
apostasías de Gedeón, las canalladas de Sansón, el adulterio
criminal de David, la combinación de sabiduría y estupideces
de Salomón, y muchos otros episodios de las Escrituras. Tales
episodios no se niegan, sino que se descuentan sencillamente
como un trasfondo desafortunado para lo que sigue siendo
una lectura inocente de la historia.

Resulta más fácil todavía idealizar la historia cuando emprendemos la lectura del Nuevo Testamento. Sobre la base de
tal idealización, la iglesia primitiva se nos convierte en un modelo de perfección. Aspiramos a ser predicadores con el poder
de Pablo, cuando la verdad es que en ocasiones sus sermones
hacían que quienes le escuchaban se quedaran dormidos. En
modo alguno quiero impedir que la iglesia primitiva ejerza
sobre nosotros una autoridad paradigmática. Pero si elevamos esa autoridad al plano de una perfección indiscutida, entonces destruimos el valor paradigmático que para nosotros
pueda tener.

La relativa facilidad con que el Nuevo Testamento puede leerse en términos de historia inocente lleva a muchos a
despreciar el Antiguo Testamento. Si leemos nuestra propia
historia en términos de héroes inmaculados y de perfección
indiscutible, se nos hace difícil ver cómo la historia compleja,
ambivalente y frecuentemente sucia del Antiguo Testamento
pueda ser Palabra de Dios para nosotros. Lo que nos queda,
de persistir en esa clase de lectura inocente, será leer el Antiguo Testamento a nivel de «historietas bíblicas». En tal selección de «historietas bíblicas» se incluiría una historia como la
de David y Goliat, pero nunca la de David y Betsabé; la de la
sabiduría de Salomón que amenaza con dividir en dos al niño

que dos madres disputaban, pero no su idolatría. Esto resulta ser una manera sutil de disminuir o negar la autoridad del Antiguo Testamento, pretendiendo mejorarlo. Tememos que las mentes de nuestros niños se contaminen con la violencia y las canalladas de muchas de las historias del Antiguo Testamento. Pero lo que en realidad hacemos es contaminar esas mentes con una visión de la historia que corre paralela a la visión trunca y supuestamente inocente de la historia norteamericana con la que también se les contamina en las escuelas.

Esas «historietas bíblicas» no son neutrales ni inofensivas en términos políticos y sociales. Detrás de ellas existe una agenda que permanece oculta a los niños que las leen, a los que las compran y distribuyen, y hasta a quienes las escriben. El propósito que yace detrás de esa literatura es el de promover la lectura inocente de la historia. El paralelo que existe entre las «historietas bíblicas» que se enseñan en las escuelas dominicales y las «historietas estadounidenses» que se usan como historia en el sistema de enseñanza es realmente asombroso. Tanto en un caso como en el otro, se promueve la descripción de los grandes personajes como personas cuyas motivaciones son siempre puras, sus conciencias siempre limpias y su gran sentido de justicia, sin desviación alguna. Si tal es el caso de los personajes de la Biblia y si lo mismo pudiera decirse de los héroes de la historia estadounidense, entonces la Biblia y la bandera marchan de la mano. Eso es lo que se busca con la preservación de la historia inocente: utilizar las vidas y obras de los personajes del pasado con el fin de justificar el presente orden de las cosas en que vive nuestra sociedad.

La historia inocente selecciona los aspectos históricos que le son favorables y olvida lo que no conviene a sus propósitos, evitando así las consecuencias que podrían derivarse de una lectura realista de la historia. El octavo capítulo del Evangelio de Juan (Jn 8.31-34) nos provee un ejemplo excelente. Cuando Jesús pronuncia sus famosas palabras «La verdad les hará libres», algunos de los que le escuchan responden: «Descendientes de Abraham somos, y nunca hemos sido esclavos de nadie. ¿Cómo es que dices: "Serán verdaderamente libres"?» ¡Es increíble cómo seleccionan lo que han de recordar y lo que han de olvidar! Con toda facilidad recuerdan que son hijos de Abraham, pero olvidan que entre ellos y Abraham están los tristes episodios de la esclavitud en Egipto, el exilio en Babilonia, y ahora su actual servidumbre a Roma. Es una interpretación de la historia, no sólo increíble, sino también aparentemente inocente. Sin embargo, tal inocencia se vuelve culposa, pues su propósito es evitar que el mensaje radical que Jesús trae pueda ser escuchado fielmente, ya que tal mensaje demanda cambios que ellos no están dispuestos a realizar.

Por otro lado, una memoria responsable conduce a una conducta responsable. Las repetidas admoniciones a Israel nos ofrecen un claro ejemplo: «No maltrates ni oprimas a los extranjeros, pues tú y tu pueblo fueron extranjeros en Egipto» (Éx 22.21). «Así mismo debes tú mostrar amor por los extranjeros, porque también tú fuiste extranjero en Egipto» (Dt 10.19). Las memorias del peregrinaje conllevan una demanda aún más radical: «La tierra no se venderá a perpetuidad, porque la tierra es mía, y ustedes no son aquí más que forasteros y huéspedes» (Lv 25.23). ¡Cuán diferente sería la historia en este país si el estadounidense blanco recordara que llegó aquí como inmigrante y que la tierra no era suya! El trato a los habitantes originales de estas tierras, así como a los inmigrantes que continúan llegando sería muy diferente. Pero así como los hijos de Abraham escogieron olvidar su esclavitud en Egipto, el estadounidense blanco olvida que fue inmigrante, y lo hace como vía de escape.

En consecuencia, parte de nuestra responsabilidad como hispanos es recordarle constantemente a ese grupo social sus orígenes como inmigrantes; ayudar a que no se olviden las masacres cometidas entre los indígenas, ni el saqueo de sus tierras; recordarles la guerra con México; el enriquecimiento de este país a base de la esclavitud; que no se olviden de la explotación neocolonial sobre nuestros países, así como cualquier otro aspecto histórico que tienda a olvidarse en una lectura inocente. Debemos hacerlo, no sólo por nuestra propia conveniencia, sino también por las de otras minorías, y aun por los mismos grupos dominantes.

Por otro lado, hay que dejar muy claro que una lectura no inocente de las Escrituras no requiere una lectura sofisticada. Si aceptamos como verdaderas las palabras de que Dios, «habiendo escondido estas cosas de los sabios e instruidos, se las ha revelado a los que son como niños» (Mt 11.25; Lc 10.21), entonces tiene que haber un lugar para una lectura simple —no simplista— de la Biblia. Resulta interesante notar que, mientras la teología tradicional noratlántica ha dado por sentado que la gran obra de Moisés fue recibir las tablas de la Ley, la comunidad afroamericana, sin eruditos ni comentarios bíblicos, siempre supo y ha cantado en sus «*spirituals*» que la gran obra de Moisés fue liberar al pueblo de la esclavitud en Egipto. Y hoy resulta que muchos eruditos concuerdan con ese punto teológico de los «*spirituals*». También es muy interesante apuntar que cuando todavía se discute en los círculos académicos sobre los alcances, ventajas y problemas de la tipología como herramienta para el análisis bíblico, así como las perspectivas históricas que implica este análisis, la tipología era ya utilizada desde mucho tiempo antes por las Comunidades Eclesiales de Base en América Latina y Estados Unidos. Su interpretación tipológica de las Escrituras les permitía insertar su propia historia en el desarrollo del proceso histórico de la Biblia.

Lo que ha ocurrido hasta ahora es que, aun cuando no lo queramos admitir quienes nos hemos dedicado a la investigación y a la enseñanza teológica, nuestras empresas académicas y nuestras interpretaciones han sido contaminadas por intereses sociales y económicos. Contra tal observación, se apela a la «objetividad intelectual» para defender nuestra integridad académica. El erudito bíblico Norman K Gottwald describe lo que ha sucedido de esta manera:

> Todos los datos apuntan al hecho de que la mayoría de los eruditos bíblicos en los últimos dos siglos han pertenecido a la clase media. Su tendencia ha sido el compaginar la erudición e ideales humanísticos con el capitalismo burgués. Más todavía, ha existido muy poca conciencia en relación con las tensiones que tal síntesis crea.[2]

La Palabra de Dios en el Antiguo Testamento

A lo largo de la historia, muchos cristianos han carecido de una comprensión sólida de las Escrituras hebreas. Ya en el segundo siglo, Marción afirmaba que el Antiguo Testamento no era la palabra del Padre de Jesucristo, sino la palabra de un dios diferente. Para Marción, el dios del Antiguo Testamento es el dios que crea un mundo infeliz y material, y que lo hace, si no por malicia, al menos por ignorancia. Ese dios gobierna

---

[2] Norman K Gottwald *The Tribes of Yahweh: A Sociology of the Religion of Liberated Israel, 1230-1030 B.C.E.*, Orbis, Maryknoll, Nueva York, 1979, p. 11.

su mundo en base a su ley y su juicio, demandando castigo
y venganza. Dios el Padre, en contraste, es un Dios de gracia y perdón, que gobierna en amor y promete una salvación
que consiste en sacarnos de este mundo material y malvado.
De inmediato se le hizo claro a la iglesia primitiva que tales
doctrinas eran incompatibles con sus enseñanzas fundamentales, tales como la creación, la encarnación real de Jesucristo
y su resurrección corporal. Por ello, las doctrinas de Marción
fueron rechazadas totalmente. De hecho, la esencia misma de
nuestro Credo Apostólico se formuló como una herramienta
a ser usada en contra del marcionismo por los que profesan la
fe apostólica.[3]

Sin embargo, aunque en forma velada o mitigada, el marcionismo sigue siendo una tentación constante para muchos
cristianos. En nuestras escuelas dominicales se oye frecuentemente la noción —históricamente falsa— de que el Antiguo
Testamento habla de Dios como legislador y juez, mientras
que en el Nuevo Testamento Jesús habla de Dios como el Dios
de amor, a quien él llama «Padre».

En la raíz misma de las «historietas bíblicas» a las que ya
me he referido, existe un semimarcionismo de contornos muy
refinados. Este semimarcionismo afirma que toda la Biblia
debe ser leída e interpretada conforme al mensaje de Jesús, ya
que él es la revelación final y suprema de Dios. Eso es verdad
hasta cierto punto, pero lo que se olvida es que el Antiguo
Testamento es la historia de la revelación y acción de Dios
en preparación de la venida de Cristo, y que el mensaje de

---

[3] Un compendio acerca de la manera en que el Viejo Símbolo Romano, precursor del Credo Apostólico, respondió al marcionismo, puede encontrarse
en Justo L. González, *Historia del pensamiento cristiano*, 2ª ed., vol. 1, Caribe,
Miami, 1982, pp. 147-51.

Jesús debe interpretarse a la luz de esa revelación y acción de Dios. Este nuevo semimarcionismo se equivoca al asumir que se puede conocer el mensaje de Jesús sin contar con la preparación que para tal mensaje hace el Antiguo Testamento. El error de tales semimarcionitas está en imaginarse que podemos entender el mensaje de Jesús sin la preparación del Antiguo Testamento. La historia muestra que tal cosa no es cierta, puesto que cuanto más aumentaba el número de gentiles convertidos a la fe cristiana en la iglesia antigua, más necesario se hacía instruirlos en el conocimiento del Antiguo Testamento como el trasfondo del mensaje que ahora procuraban conocer. De otro modo corrían el riesgo de caer en las mismas distorsiones del cristianismo en que cayeron el gnosticismo y el marcionismo. Tal fue la razón por la que los líderes de la iglesia insistieron en la autoridad del Antiguo Testamento.

Una sociedad pagana como la sociedad en la que vivimos hoy —una sociedad incapaz de distinguir entre el paganismo y la fe bíblica— difícilmente puede comprender el mensaje de Jesús mejor que aquellos gentiles conversos de los primeros siglos. Esa es la razón por la que, si es cierto que el Antiguo Testamento debe interpretarse a la luz de la revelación de Dios en Cristo, también lo es que esa revelación debe ser entendida a la luz del Antiguo Testamento.

Para recalcar lo que he dicho, prefiero hablar de las Escrituras hebreas como el «Primer Testamento». En el uso común, la palabra «antiguo» o «viejo» lleva la connotación de «obsoleto». En ese contraste entre el «Antiguo» Testamento —que puede entenderse como obsoleto y caduco— y el «Nuevo» Testamento se apoya la herejía semimarcionita que hoy nos aflige.

Si el Primer Testamento es también Palabra de Dios, se sigue que no podemos entender el Segundo Testamento de tal
modo que el Primero nada tiene que ver con el Segundo, o
que este último le quita toda validez al Primero. Pero lo cierto es que es precisamente eso lo que hacemos de variadas y
sutiles maneras. Por ejemplo, en el leccionario común que se
usa en las grandes denominaciones de los Estados Unidos, se
acostumbra no utilizar lecturas del Antiguo Testamento durante la estación de Resurrección. En su lugar, se leen pasajes
de los Hechos de los Apóstoles. Cualesquiera sean las razones que se esgriman para apoyar esa substitución, esto tiene
serias implicancias para la comprensión de la naturaleza de
la iglesia, pues quizás se implica de manera no intencionada
que el Antiguo Testamento ya no es necesario después de la
resurrección de nuestro Señor; o que en todo caso, la iglesia es
parte de una nueva historia que tiene muy poca o ninguna relación con la historia de Israel. (Otra consecuencia interesante
que se deriva del uso de tal leccionario es que se lee el libro
de los Hechos «a la inversa», como si la historia de la iglesia
culminara en Pentecostés, en lugar de comenzar con él.)

Otro punto a notar es que el leccionario sólo usa lecturas
de los profetas en relación con el calendario cristiano, en el
que se repasa la vida de Jesús, pero deja fuera aquellos pasajes
que denuncian las injusticias sociales. Eso implica dos cosas:
en primer lugar se trunca el mensaje profético, pues el papel
del profeta se limita a anunciar el advenimiento del Mesías,
sin que su mensaje toque al pueblo en su situación de manera significativa. En segundo lugar, se trunca también el papel
de Jesús, a quien se le limita a ser un salvador «espiritual»,
desconectado de la tradición profética de la cual es parte y
culminación.

Esta distorsión velada del papel del Antiguo Testamento explica por qué tantas veces la «espiritualidad» se entiende como algo separado de, y a veces ajeno a, las realidades políticas. Esas son precisamente las realidades de las que la mayor parte del Antiguo Testamento se ocupa. Volveré sobre este asunto más adelante, cuando me refiera a la «espiritualidad política». Por ahora, baste preguntarnos si es verdaderamente posible que lo que llamamos «espiritualidad» sea central al mensaje bíblico, y sin embargo se hable tan poco de ello en el Antiguo Testamento. Tal pregunta debería estimularnos a investigar más acerca del verdadero carácter de la espiritualidad bíblica.

Existe un tema similar que se relaciona con lo que venimos diciendo: la doctrina de la redención. La redención es, sin dudas, uno de los temas centrales en las Escrituras. Pero lo que se nos ha enseñado acerca de la «redención» y la «salvación» apenas tiene que ver con el Antiguo Testamento, si en algo está vinculado a él. Si el asunto de la vida después de la muerte es tan inherente al mensaje de las Escrituras, ¿por qué casi no se lo menciona en el Antiguo Testamento, y por qué para que los cristianos podamos encontrar allí algo al respecto tenemos que buscar cuidadosamente una que otra posible mención del tema en el libro de Job o en los Salmos? Con esto no quiero decir que la Biblia no se ocupe del tema de la vida después de la muerte. Tampoco que esa nueva vida no sea verdadera y fundamental a la esperanza cristiana; pero sí que esa promesa no es el mensaje central de las Escrituras.

De no ser por la presencia y mensaje del Antiguo Testamento, nos acomodaríamos fácilmente a la creencia generalizada de que Jesús sólo vino a anunciar que hay vida después de la muerte, y que cada uno de nosotros tiene acceso a ella. Es totalmente cierto que el Nuevo Testamento afirma que hay vida después de la muerte. Pero ese tema era ya conocido por los fariseos mucho antes del advenimiento de Jesucristo, por lo que ya no constituiría «buenas nuevas» para ellos. El centro de las buenas nuevas es que la resurrección ya ha comenzado con la resurrección de Jesucristo de entre los muertos y que podemos ahora confiar en él para nuestra propia resurrección final. Y aún más, la resurrección de Jesús significa que las viejas promesas que tanto se habían esperado comienzan ahora a cumplirse, y el reino de Dios ha llegado. La vida después de la muerte es evangelio, buenas nuevas. Pero el Antiguo Testamento se encarga de recordarnos que la vida después de la muerte no es *todo* lo que tenemos que esperar, pues el alcance de la acción y la revelación de Dios incluye mucho más que las promesas de vida después de la muerte. El Antiguo Testamento se encarga de recordarnos que la salvación y redención no son asuntos puramente «espirituales» en el sentido en que se entiende comúnmente tal palabra, sino que la redención y salvación incluyen también las realidades sociales y políticas.

La agenda política

No cabe duda de que el que la Biblia se entendiese como un libro orientado esencialmente hacia la «salvación espiritual» después de la muerte se debió en buena medida a la introducción del cristianismo en el mundo grecorromano, el cual tenía ya sus nociones preconcebidas acerca de la naturaleza de la religión. Pero esto va más allá de ser sólo un accidente histórico, ya que en ese proceso hubo también una agenda política. En pocas palabras, esa agenda política buscaba hacer de Dios un ser apolítico. Si Dios se interesa sólo en la salvación de las almas, y no en los cuerpos físicos, ni en la manera en que se distribuyen los bienes necesarios para el sostén de la vida física, entonces Dios no se interesará en la vida política, ya que la misma se refiere, después de todo, al proceso por el cual una sociedad decide el modo de asignar y distribuir sus recursos materiales. De esto se desprende que, si Dios es apolítico, los creyentes deberían serlo igualmente, o por lo menos no deberían mezclar los asuntos de la fe con la vida política.

El problema que se nos presenta es que, si es cierto que los seres humanos somos «animales políticos», entonces todo lo que hacemos tiene trasfondo y consecuencias políticas. De lo que sigue que el tipo de cristianismo «apolítico» que muchos enarbolan, no es más que una clase de cristianismo que le brinda su apoyo al statu quo, esto es, a los poderes y poderosos que gobiernan el sistema social, político y económico. Lo que está detrás del «no mezclar la política con la religión» es muy selectivo, pues todo depende de la clase de política que se mezcla con la religión. El orar en el Congreso de los Estados Unidos, predicar en la Casa Blanca, e «impartir la bendición» a una sesión de la bolsa de valores no son considerados actos políticos. Todos estos actos son considerados buenos y aceptables. Pero sí se piensa que es un acto político el hablar en una protesta de los obreros colectores de frutos, bendecir sus luchas por organizarse y criticar al Servicio de Inmigración. El sentarse a desayunar con el gobernador de Puerto Rico no es considerado un acto político. Sí lo es el protestar contra la presencia de la marina estadounidense en Vieques. Una mirada a esas contradicciones revela claramente que la perspectiva «apolítica» de ese cristianismo es verdaderamente política. Que lo que en última instancia se busca es apoyar la agenda del statu quo.[4]

---

4   La historia más reciente comprueba lo que dije sobre esto en 1990, pues ha surgido en los Estados Unidos una «nueva derecha» evangélica que busca determinar las políticas de la nación, y quienes forman parte de esa nueva

Todo esto muestra que la moderna herejía semimarcionita que aprendimos en la escuela dominical no es sólo una postura teológica equivocada ni un error inocente. A esta ideología conservadora le es muy conveniente descartar el uso del Antiguo Testamento (o por lo menos interpretarlo solamente en términos de preparación para el mensaje de salvación espiritual), ya que el mismo no cesa de hablar de un Dios que demanda justicia continuamente en todo asunto humano y parte de cuya obra redentora tiene que ver directamente con el establecimiento de esa justicia.

Dado que el Nuevo Testamento fue escrito en una época en que el pueblo de Dios no se encontraba en las esferas de poder, y por ello no podía tener un impacto en el ordenamiento de la sociedad, se dice poco acerca de la responsabilidad social del pueblo de Dios. Y ahora estos políticos conservadores lo usan para construir una versión supuestamente «apolítica» del cristianismo. El Antiguo Testamento, en contraste, cubre siglos de la historia del pueblo de Israel, y por ello trata diversas situaciones políticas y sociales. En tales situaciones, lo que ha de ser la acción política del pueblo se vuelve tema central —la liberación en épocas de esclavitud, la justicia a los oprimidos, etc. Lo importante es que cuando leemos el Nuevo Testamento a través de la preparación que provee el Antiguo, notamos inmediatamente que su visión de los propósitos de Dios no es tan puramente «espiritual» como pretenden los cristianos «apolíticos».

---

derecha son los mismos que antes nos decían que no se debía mezclar la política con la religión. Sin lugar a dudas, lo que querían verdaderamente decir entonces era que no se debe mezclar la religión con posturas políticas que lleven al cambio social.

Lo que necesitamos, en consecuencia, es leer las Escrituras, pero hacerlo «en español».[5] Uno de los énfasis de la Reforma Protestante fue que la Biblia estuviese disponible en el idioma vernáculo de cada pueblo, y por ello la Biblia se ha traducido repetidamente. Lo que casi siempre hemos subrayado en todo esto es que lo que antes estaba reservado para los eruditos está ahora al alcance de todos. Pero quizá deberíamos explorar otra dimensión de lo que ocurre cuando se lee la Biblia en el idioma vernáculo. En primer lugar, la Biblia se convierte en el libro del pueblo, escapando a las manipulaciones de los que controlan la sociedad. En segundo lugar, la Biblia se convierte en una poderosa arma política cuando la gente la lee desde su propia perspectiva, y no desde la perspectiva de los poderosos. Es a eso precisamente a lo que me refiero cuando hablo de «leer la Biblia en español». Se trata de una lectura que incluye la conciencia de que la Biblia es un libro político; una lectura en el idioma «vernáculo», lo cual no sólo incluye los aspectos culturales e idiomáticos, sino también el sentido y significado sociopolítico. El equivalente de nuestra lectura en español entre los quechuas de los países andinos sería una lectura hecha en su idioma y perspectiva, en medio de la opresión de que los hispanoparlantes les hacen objeto.[6]

---

[5] Bien sé que algunos insisten en que el nombre de nuestro idioma es «castellano», y no «español». Pero «español» es como lo llama el pueblo común. Puesto que lo que aquí propugno es una lectura desde la perspectiva de ese pueblo común —y particularmente de los inmigrantes latinos a los Estados Unidos— prefiero referirme a nuestra lengua como «español».

[6] Existe una discusión excelente y concisa sobre cómo ocurre esto, para los que no están familiarizados con este asunto, en Carlos Mesters, «The Use of the Bible in Christian Communities of Common People», en Sergio Torres y John Eagleson, eds., *The Challenge of Basic Christian Communities*, Orbis, Maryknoll, Nueva York, 1981, pp. 197-210. Hay dos párrafos en este artículo que son dignos de mención: «Los eruditos bíblicos, a través de sus estudios, pueden aproximarse bastante a Abraham con su cabeza, pero sus

La gramática de esta nueva lectura

Mi esposa y yo hemos apuntado en otro libro algunas guías y procedimientos para esta nueva lectura.[7] Sin ánimo de repetir lo que ya hemos sugerido, me parece que sería útil compartir el bosquejo de esa «gramática» para la lectura de la Biblia «en español».

1. Afirmar que la Biblia es un libro político significa, en primera instancia, que en ella se debate el asunto del poder y los desposeídos. Esto es la preocupación principal de la política y lo es de igual manera en las Escrituras. Deberíamos releer la Biblia. Leerla en «español», como exiliados que somos, parte de una sociedad en la que no tenemos poder alguno, sino que somos excluidos de la «historia inocente» de los grupos dominantes. Entonces veremos que la Biblia es ciertamente un libro político. Debido a que la Biblia no es principalmente un libro de realidades «espirituales» —excepto en su propio sentido de lo que es «espiritual»— ni tampoco un libro de doctrinas, cada vez que emprendemos su lectura no deberíamos preguntar ante todo acerca de los asuntos «espirituales» o «doctrinales», sino acerca de los asuntos políticos: ¿Quiénes

---

pies están muy lejos de él. La gente común se aproxima a Abraham con sus propios pies, porque viven el mismo proceso de la vida de Abraham en su propia situación. Cuando estudian la Biblia, la misma se convierte en un espejo para ellos» (p. 203); «Durante una sesión leíamos el siguiente texto: "He oído el clamor de mi pueblo." El siguiente comentario fue hecho por una mujer que trabajaba en una fábrica: "La Biblia no dice que Dios haya escuchado las oraciones de su pueblo, sino que dice que Dios ha escuchado el clamor de su pueblo. No quiero decir que la gente no deba orar, sino que deberíamos imitar a Dios. Muchas veces nos ocupamos de que la gente venga a la iglesia a orar, y es sólo más tarde cuando ponemos atención a sus clamores"» (p. 207).

[7] J. L. González y C. G. González, *Liberation Preaching: The Pulpit and the Oppressed*, Abingdon, Nashville, 1980, pp. 69-93.

son los poderosos en este texto? ¿Quiénes los desposeídos? ¿Cuál es la naturaleza de los vínculos entre ellos? ¿De qué lado está Dios? El principio de la teología hispana y el énfasis de la reforma del siglo 20 están en esta clase de lectura crítica de las Escrituras.

2. No olvidemos que sólo una pequeñísima porción de la Biblia fue escrita para ser leída en privado. Nuestro idioma español, al igual que el griego y el hebreo, distingue las formas singular y plural de la segunda persona. Con la excepción de la epístola a Filemón, 1 y 2 Timoteo, y Tito,[8] las epístolas de Pablo no van dirigidas a individuos, sino a comunidades. En inglés, desafortunadamente, ya no se hace distinción entre las formas singular y plural de la segunda persona. Ya no se usa la forma «ye» que encontrábamos en la vieja *Versión del Rey Jacobo*. De aquí que cuando las personas de habla inglesa leen en privado un mandato de la Biblia dirigido a la segunda persona, «*you*», lo más natural es pensar que se dirige a cada lector o creyente como individuo, y no a todos como comunidad. Esto nos conduce a privatizar la fe, y así todas sus demandas sobre nosotros.[9] Para que se elimine este problema, la nueva «gramática» para leer la Biblia «en español» debe estar cons-

---

[8] Y en tres de esos casos —en las epístolas pastorales—, la mayoría de los eruditos han llegado a la conclusión de que no fueron escritas a personas individuales, sea Timoteo o Tito, y que la forma singular «tú» es un recurso literario para referirse a la iglesia en general.

[9] Puesto que este libro se escribió originalmente en inglés y estas líneas iban dirigidas a personas de habla inglesa, he decidido no cambiar lo que allí se decía. Para el caso de los lectores de habla castellana hay que decir que, aunque tenemos la forma plural «ustedes» (o «vosotros»), en este punto se nos ha enseñado a leer la Biblia, por así decir, «en inglés», de modo que cuando leemos «ustedes» de inmediato pensamos, no en la comunidad de los fieles, sino en cada uno de nosotros como individuo.

ciente de que aun cuando se lea la Escritura en privado, Dios
está hablándole a toda la comunidad de fe.

3. Debemos recordar que en la esencia de la «gramática»
bíblica está el que ha de ser comprendida por los niños, los
simples y los pobres. Jesús se alegraba de que «estas cosas han
sido escondidas de los sabios y los entendidos, y reveladas a
los niños». Leer la Biblia «en español» significa que hay que
poner mucha atención a lo que los «niños» puedan encontrar
en ella. Tal lectura puede no ser tan sofisticada como las que
encontramos en los comentarios. Probablemente no será ni
tan «religiosa», ni tan «inspiradora» como las de algunos
famosos predicadores. Pero bien puede ser mucho más fiel
al mensaje de las Escrituras. El ABC de esta gramática está
en permitir que quienes no forman normalmente parte de
nuestros círculos de estudios bíblicos lean las Escrituras y nos
digan a nosotros lo que ven en ellas desde la situación en que
se encuentran.

4. Sobre todo, hemos de aprender a leer las Escrituras en el
caso vocativo. El propósito de nuestros estudios de la Biblia
no es principalmente interpretarla, sino buscar que la Biblia
nos interprete a nosotros y a nuestras comunidades. No quiero decir que la interpretación de la Biblia no sea importante.
Sin ella corremos el riesgo de no comprender cabalmente su
mensaje para nosotros y nuestra situación. Pero al interpretar
la Biblia, el propósito final *no* es conocerla mejor, sino cono-
cernos mejor a nosotros mismos a la luz de la Palabra de Dios
y descubrir la obediencia que se requiere de nosotros.

El Salmo 119.105 dice: «Tu palabra es una lámpara a mis
pies; es una luz en mi sendero.» Quien camina de noche sabe
que necesita una lámpara que esté limpia y en las mejores
condiciones para que pueda alumbrar bien. Pero si en medio

del camino el viajero se torna ansioso por la lámpara y mirándola constantemente se olvida del camino, pronto se perderá. La lámpara es un medio para un fin, no un fin en sí misma. El mirar la lámpara como si ella fuera el camino conduce sólo al desastre.

No obstante, es mayormente de esa manera como hemos tratado a las Escrituras. Esto es lo que hacemos a todo nivel. Tome el caso de los fundamentalistas, cuyo error consiste en creer que el camino y las Escrituras son la misma cosa, que penetrar las Escrituras es lo mismo que caminar con Dios, de modo que la Biblia se convierte en un fin en sí misma. También ese es el error de gran parte de la erudición bíblica que concentra sus esfuerzos en el texto escrito, pero nunca regresa a la cuestión de lo que el texto significa en la situación en que vivimos. Si para tiempos de la Reforma la Biblia era cautiva del dogma y la autoridad eclesiástica, hoy queda muchas veces cautiva de la crítica histórica, del análisis textual, de la crítica de las formas o de cualquier instrumento de análisis bíblico en boga.

El problema no radica en estudiar la Biblia en forma erudita. La erudición es necesaria para obtener una mejor comprensión del contexto y significado del texto en su propio tiempo. El problema está, más bien, en que la Biblia se aparta de su función primordial, que es conducir al pueblo en su peregrinaje histórico hacia Dios, y esa función queda en suspenso, o se le considera una cuestión que está totalmente aparte de la erudición bíblica.

Leer la Biblia «en el vocativo» significa que no leemos un texto muerto, sino que al leerlo el texto mismo se dirige a nosotros. En la mayor parte de los casos, las comunidades hispanas leen el texto bíblico de esa manera, aun cuando es

cierto que la influencia fundamentalista es todavía fuerte en
las iglesias hispanas. También es cierto que para romper con
el estrangulamiento que los fundamentalistas ejercen sobre
nuestras iglesias, muchos líderes apelan a la tradición liberal
de erudición bíblica. Pero cuando se participa de la vida de la
iglesia hispana, se descubre que la Biblia se lee de una manera
diferente, de una forma que desconcierta tanto a los liberales
como a los fundamentalistas. La razón es que se lee la Biblia
en el vocativo, como la palabra del Dios que vive. Puede ser
que no manejemos mucha información sobre doctrinas co-
rrectas o asuntos históricos, pero sí recibimos dirección sobre quiénes somos en los tiempos que vivimos. Lo que más
se aprecia en la comunidad hispana no es la interpretación
de pasajes difíciles en el texto bíblico, sino la interpretación
que nos ayuda a comprender nuestras propias dificultades en
nuestro peregrinaje de obediencia. Cuando se lee la Biblia en
las comunidades hispanas, no existe la expectativa de que vamos a aprender sólo cosas importantes acerca de Moisés o de
la doctrina cristiana, sino también acerca de nosotros mismos
y del mundo en el cual vivimos.

No debemos decir que es mucho el trabajo que nos queda
por hacer en las iglesias hispanas para que la Biblia pueda
leerse con esta gramática, pues existen muchas fuerzas que
nos impelen a leerla desde el punto de vista fundamentalista
o bien desde el liberal —que para el caso es lo mismo, pues
para ambos la Biblia es un fin en sí misma. Aun cuando muchas veces caemos presa de esas presiones, se puede decir que
la mayoría de las veces somos capaces de superarlas, porque
leemos la Biblia «en el vocativo», es decir, al leerla entramos
en un diálogo en el que, al tiempo que nosotros leemos la Biblia, la Biblia nos lee a nosotros y a nuestras circunstancias.

6

QUE LOS DIOSES MUERTOS ENTIERREN A SUS MUERTOS

Hace ya algunos años que la frase «Dios ha muerto» levantó una alarma general, mayormente entre los medios de prensa. No mucho tiempo después, la teología sobre la muerte de Dios languideció y murió junto a su dios. Esto era de esperarse, pues, aun cuando esos teólogos contribuyeron con algunos aspectos importantes, tal teología resulta ser muy limitada. Cuando muere un ser querido es poco lo que pueden hacer los sobrevivientes. Al final del entierro, no queda sino volver a casa y reiniciar la vida.

El lenguaje acerca de Dios

Lo verdaderamente importante no es si Dios existe o no, sino qué o quién es ese Dios cuya existencia afirmamos o negamos. Que algunos dioses hayan muerto y que no continúen vivos ha sido mucho más conveniente para la humanidad. No fue mucho lo que perdió la humanidad cuando el dios Huitzilopochtli y sus huestes perdieron el poder para demandar sacrificios humanos, o cuando los cocodrilos del Nilo perdieron su divinidad. Incontables seres humanos han recuperado el derecho a la vida después de que tales dioses han muerto.

De modo que no deberíamos apresurarnos a condenar a los que proclamaron la muerte del «Dios» a quien ha adorado gran parte de nuestra civilización. Es posible que también ese Dios haya sido un ídolo cuyos días ya han pasado, y cuyo funeral es motivo de regocijo para los que creen en las promesas bíblicas.

Los planteamientos sobre la existencia de Dios tienen algún sentido sólo en la medida en que clarifiquemos a qué nos referimos cuando hablamos de «Dios». Y aun así, podría ser que la naturaleza de Dios sea tal que por definición escape a todo intento de ser probada, y tenga que ser aceptada (o negada) sólo por la fe. De hecho, en las llamadas «pruebas de la existencia de Dios» existe ya, desde el principio de su formulación, una definición implícita de lo que se intenta probar, de modo que las conclusiones no pueden sobrepasar los límites establecidos por esas definiciones. Si tomamos como ejemplo la prueba «cosmológica» —cuyo ejemplo clásico son las «cinco vías» de Tomás de Aquino— y decimos que todo tiene una causa, y que por tanto debe haber una causa primera para toda cosa, todo lo que hemos probado es que existe una primera causa. Sólo hasta ahí, porque no podemos avanzar al punto de probar que esa «primera causa» es necesariamente el Dios de Abraham. Tomemos igualmente el argumento «ontológico» de Anselmo. Si consideramos el argumento que habla de «aquello de lo que nada mayor puede concebirse», lo más que podremos alcanzar a hacer será demostrar la existencia de tal ser. Dejando a un lado las objeciones que se le han hecho a tal argumento, y aun concediendo que sea irrefutable, sólo servirá para establecer que «aquello de lo que nada mayor puede concebirse» de hecho existe; pero aún nos sería necesario probar que «aquello de lo que nada mayor puede concebirse» es idéntico al Dios de Jesucristo, Señor de la iglesia.

Esto nos conduce a una conclusión que resulta obvia: todo Dios cuya existencia pueda ser probada es un ídolo. La diferencia entre el Dios de Israel y los ídolos de los pueblos circundantes no reside en que los ídolos son visibles y Dios no lo es. Cuando la Biblia se burla de los ídolos y condena a los dioses hechos de madera, no es la madera de la que son hechos los dioses lo que ridiculiza y rechaza, sino el hecho de que son labrados por seres humanos, quienes luego adoran y se arrodillan frente a sus propias creaciones. El apologista cristiano Arístides vio claramente el problema y lo describió así:

> Asegurándoles en sus templos, ellos los adoran, llamándoles dioses. Luego los protegen cuidadosamente de los ladrones, para que no sean robados, sin percatarse de que los que los guardan resultan ser superiores a los que son guardados, y que los que labran esos objetos son superiores a ellos.[1]

Toda creación humana que se eleva a la categoría de lo divino es necesariamente un ídolo, incluyendo toda suerte de imágenes de bestias y de seres humanos hechas de metal o madera. Pero también es ídolo toda imagen intelectual hecha a base de ideas y elucubraciones. De aquí es que concluimos que todo dios cuya existencia necesite probarse, resulta ser un ídolo. Así como las pruebas son sólo efectivas dentro de los parámetros que ellas mismas se permiten, las formas y contornos de lo que se prueba ya han sido definidos con anticipación por quien ofrece la prueba. El concepto de Dios ha sido formado dentro de este molde, al igual que lo que hacían los paganos de antaño cuando formaban sus dioses en moldes de herreros y plateros.

---

[1] *Apol.* 3.2.

Por otra parte, no puede afirmarse que los antropomorfismos son formas «primitivas» de hablar de Dios y que las mejores imágenes para tal propósito son las que evitan el antropomorfismo. Siempre que sea humano, todo lenguaje acerca de
Dios tiene que ser necesariamente antropomórfico, ya que no
tenemos categorías ultrahumanas para referirnos a Dios. No
usamos lenguaje antropomórfico solamente cuando nos referimos a «las manos de Dios», sino también cuando hablamos
de la «voluntad» de Dios, aun cuando no queramos decir que
Dios habite en un cuerpo. Podemos recurrir a la analogía con
el fin de evitar esta dificultad, y decir que Dios es «como» un
padre, afirmando de inmediato las diferencias y semejanzas
entre Dios y los padres humanos.[2] Esa clase de lenguaje puede ser muy útil, pero no nos exonera del antropomorfismo,
pues sólo diciendo que Dios es «como» un padre puede tal
afirmación comunicar algún sentido. También se intenta describir a Dios por la *via eminantiae*, que consiste en proyectar a
la enésima potencia todo lo que consideramos positivo. Así
decimos que Dios es *omni*potente, *omni*presente, y *omni*sciente. Aun cuando no tenemos idea de qué queremos decir por
«omni», lo que intentamos hacer es magnificar y engrandecer las características humanas que consideramos deseables;
y esto, como cualquier otro lenguaje, nos mantiene todavía
dentro de los límites de lo antropomórfico. En última instancia, podríamos hablar de Dios en términos puramente negativos (la *via negativa*), diciendo entonces que Dios es impasible,
infinito, increado, etc. Lo que se quiere decir es que Dios no es

---

[2] A pesar de todo lo que se ha escrito desde entonces, ninguna discusión
sobre la analogía como medio para hablar sobre Dios ha superado a Tomás
de Aquino: *Summa Theol.* la, q.13. Ver H. Lyttkens, *The Analogy Between
God and the Word: An Investigation of Its Background and Interpretation of Its
Use by Thomas of Aquino*, Almqvist & Wiksells, Uppsala, 1952.

«como» nada que conozcamos. Sin embargo, al decir que algo o alguien es «como nada», muy poco o nada se está diciendo.

El lenguaje antropomórfico no debería atemorizarnos, pues no tenemos ninguno otro. No tenemos otras categorías. Ya que tenemos un Dios que ha querido revelársenos, no podríamos conocer esa revelación sino en términos y categorías que conocemos. Esas son las categorías y términos humanos. Si en el béisbol apareciese un lanzador que lanzara la bola a tal velocidad que nadie pueda capturarla, tal lanzador no sería de utilidad alguna. De igual manera, una revelación que se diera en términos puramente divinos no sería al fin y al cabo revelación alguna para nosotros. Esto significa que, a menos que queramos abandonar del todo la articulación del lenguaje sobre Dios, no hay razón válida para desestimar una declaración teológica porque use lenguaje antropomórfico. La teología cristiana se ha visto muchas veces afectada y otras veces distorsionada por la incapacidad de aceptar el lenguaje antropomórfico. La Biblia habla de Dios en términos antropomórficos de manera muy natural, pero parece que algunos teólogos quieren superarla en este punto.

La aceptación del uso del lenguaje antropomórfico en relación con Dios va más allá de ser una mera inconveniencia a la que, debido a nuestras limitaciones mentales y de lenguaje, tenemos que someternos. Más allá de la necesidad humana de usar el lenguaje antropomórfico, no debería avergonzarnos usarlo por una razón puramente cristiana: nuestra confesión de que la suprema revelación de Dios ocurrió en un ser humano, Jesús de Nazaret. La encarnación de Dios en Cristo no es sólo la base para nuestra doctrina de la redención, sino, más aún, la de nuestra doctrina de Dios. Más adelante discutiremos la doctrina de la encarnación de manera más específica. Sin embargo, en este punto es necesario apuntar que, contrario a lo que a veces suponemos, la encarnación no fue un remedio de último minuto a fin de salvarnos del pecado. Es mucho más que eso. Como lo diría el gran teólogo del siglo 2, Ireneo, la encarnación es el objetivo de toda la creación.[3] Más tarde, durante la controversia iconoclasta, Juan de Damasco dijo con todo acierto que algunas de las objeciones de los iconoclastas se basaban en una comprensión limitada del alcance de la encarnación en lo que concierne al entendimiento de Dios. De hecho, el damasceno argumentaba que las objeciones de los iconoclastas no eran válidas, ya que «en su misericordia Dios se hizo verdadero hombre para nuestra salvación ... y después de que vivió sobre la tierra, hizo milagros, sufrió y fue crucificado, resucitó y fue recibido arriba en los cielos».[4] La encarnación a través de la cual Dios se convirtió en un ser humano rechaza de por sí toda discusión en contra del uso del lenguaje antropomórfico. Es posible que existan otras razones para la oposición al uso de imágenes antropomórficas; pero es la misma encarnación de Dios en Cristo la que refuta todo argumento basado en la pura trascendencia de Dios.

La *imago Dei*, o imagen de Dios en las criaturas humanas, es otra razón por la que no debemos renunciar al lenguaje antropomórfico. Esta doctrina, asociada con la encarnación por Ireneo y otros teólogos cristianos, afirma que hemos sido creados conforme a la imagen divina. En consecuencia, el uso del lenguaje antropomórfico adquiere validez en el hecho de que los seres humanos somos «teomorfos». En otras palabras, el llamado lenguaje antropomórfico acerca de Dios tiene su base en la presuposición, no que Dios sea como nosotros, sino que nosotros somos como Dios.

---

[3] *Epid. 22; Adv. Haer. 3.22.3; 5.16.2.*
[4] *De Fide orth. 1.16.*

¿Cómo habla la Biblia de Dios?

Cuando en la Biblia se intenta hablar acerca de Dios, nunca se describe o define el ser de Dios. Al contrario, cada vez que se habla de Dios en la Biblia se lo hace en relación con la creación y con un pueblo. Nunca se describe a Dios en las Escrituras como «el primer motor inmóvil», o como «pura actualidad», ni como «absolutamente simple». Siempre que la Biblia se refiere a Dios, habla de creación y redención. Si habla sobre la voluntad de Dios, lo hace en términos de un llamado a la obediencia. Si se refiere al «corazón» de Dios, nunca intenta describir el *modus operandi* de la deidad, sino más bien sus propósitos y sentimientos —sí, ¿por qué no?, sus sentimientos hacia los seres humanos.

En vano un pasaje donde la Biblia diga que Dios es impasible. Al contrario, lo que sí podemos encontrar son muchas referencias a la ira divina, al amor ¡y aun al arrepentimiento de Dios! Sí encontramos un Dios que camina en el jardín del Edén, que lucha con Jacob y regatea con Abraham. Dios es descrito como un juez severo que cambia de idea ante las impertinencias de una viuda. Dios es amor. De modo que si se quiere describir al Dios de la Biblia como «inmutable», nada tendría eso que ver con la impasibilidad o la inmovilidad ontológica, sino únicamente con la certeza de que «para siempre es su misericordia».

Lo que la Biblia sí afirma es que Dios participa activamente de la historia de la humanidad. Llama a Abraham en Ur de los Caldeos y camina con él en todas sus empresas; rompe las ligaduras de esclavitud del pueblo de Israel en Egipto; destroza a los enemigos de Israel; establece a los jueces que han de liberar a Israel, pero castiga al pueblo por sus iniquidades; envía profetas y visionarios para reprochar al pueblo y sus gobernantes. Además Dios se hizo carne en Jesucristo, prometiendo una nueva Jerusalén, donde él reinará para siempre con su pueblo en un reino de justicia y paz. Nótese que en cada una de esas declaraciones, Dios es el sujeto de la acción y rey soberano de toda la historia.

Con todo, el Dios de las Escrituras es también objeto y hasta víctima de la historia, pues no rige el mundo con vara de hierro, como lo haría el Faraón sobre Egipto o Pinochet sobre Chile. Tampoco recurre al uso de un rayo para destruir a los que se le oponen, ni ha creado esa oposición, como hacen los dictadores militares con el fin de demostrar que sus regímenes son democráticos al permitir la oposición. Aun cuando Dios es el creador de cielos y tierra, su poder es constantemente retado por el imperio maligno que sus propias criaturas han establecido. El mal es una poderosa realidad que no puede despacharse afirmando que es parte necesaria del plan divino para todo el género humano. Ciertamente, Dios usará el mal para la culminación de sus planes, y en ese uso del mal para los objetivos divinos se justifica el que los cristianos canten el viejo himno «Oh bendito pecado» en la víspera de la resurrección, en el que se afirma que el pecado ha abierto el camino para la redención en Cristo Jesús. Con todo esto, Dios aborrece el pecado y desecha toda injusticia. Al sufrir con los oprimidos, Dios sufre en sí mismo opresiones e injusticias. Esto se encuentra a través de la Biblia, pero de manera particular en la vida de Cristo Jesús, en quien Dios es llevado de un lado a otro por los seres humanos y se convierte finalmente en víctima de ellos. Si ser minoría significa ser víctima y estar sujeto a fuerzas que no podemos controlar, entonces ¡Dios es parte de la minoría!

¿Va esto en desmedro del poder de Dios? De ninguna manera. El Cristo que fue crucificado es también el que resucitó, quien vendrá otra vez en gloria para juzgar a los vivos y a los muertos. Lo que aquí se rechaza es una fácil transición que va desde la creación hasta la resurrección sin pasar por la caída y la cruz. La cruz que media entre la creación y la consumación final no es un mero accidente, ni tampoco algo de lo que pueda decirse que no ocurrió históricamente. Todo lo contrario, la cruz representa la demostración suprema de la manera en que opera el poder de Dios. El sufrimiento humano no se ignora en la victoria final de Dios, sino que se le asume y vindica. No es evitando la cruz como nuestro Dios se hace victorioso, ni es su victoria como la de un equipo de fútbol invicto, sino que Dios se hace victorioso pasando por el sufrimiento y logra la liberación a través de la opresión. Nuestro Dios es aquel que, habiendo conocido la opresión, es capaz de compartir el sufrimiento con el oprimido. Y es aquel que, al compartir el sufrimiento con el oprimido, le permite ser parte de su gran victoria final (Heb 2.14-18).

Algunos podrían objetar lo que digo con el fin de defender la omnipotencia de Dios. No hay pasaje bíblico alguno que se refiera a la omnipotencia de Dios, al menos en el sentido de que pueda emprender todo lo que su imaginación divina le impulse a hacer. Tal omnipotencia es sólo el resultado de la especulación humana y por lo tanto es característica de los ídolos. «¿Puede Dios crear una roca de tales dimensiones que luego ni él mismo la pueda mover?» «¿Puede Dios hacer de un círculo un cuadrado?» «¿Hace Dios siempre lo que es bueno, o sería más apropiado decir que todo lo que Dios hace es siempre bueno?» Estas y otras preguntas planteadas por teólogos y académicos del pasado, algunas en broma y otras en serio, revelan el error de hablar de «omnipotencia» en el sentido de que Dios puede hacer todas y cada una de las cosas. Quizá Dios pueda, o quizá no, o quizá la pregunta misma no tenga sentido. Lo que sabemos ciertamente es que Dios es perfectamente capaz de hacer lo que ha hecho y ha prometido hacer. Si se nos preguntara «¿Qué puede hacer Dios?», la única respuesta posible sería: «Lo que ha hecho y lo que ha prometido que hará.»[5]

¿No se refiere el Credo Apostólico al «Padre Todopoderoso?» Ciertamente. Lo que ocurre es que el término *pantocrátor*, el cual se ha traducido como «todopoderoso,» no se refiere, ni en sentido real ni imaginario, a que Dios tenga el poder para hacer todas las cosas.[6] Lo que se intenta decir en el texto original es que el dominio de Dios cubre todas las cosas, que nada queda fuera del alcance de la actividad divina. Esto es más una afirmación sobre el mundo, una declaración acerca del *«panta»* sobre el que Dios gobierna que una afirmación sobre Dios mismo. Lo que el credo afirma es que nada en el mundo es ajeno al dominio de Dios.[7] Tanto en la Biblia como en la tradición cristiana primitiva, lo que se discutía cuando se hablaba de la omnipotencia divina era el destino del mundo y la humanidad. De hecho, es posible formular la tesis de

---

[5] Tal fue en esencia la respuesta de Tertuliano a Práxeas, quien argumentaba que su forma de monarquianismo era lógicamente admisible, porque después de todo, Dios es omnipotente. Ver mi artículo: «Athens and Jerusalem Revisited: Reason and Authority in Tertullian», Church History 43, 1974, pp. 17-25.

[6] A falta de una mejor palabra, la traducción latina emplea, desafortunadamente, la palabra *«omnipotens»*, la que sí podría entenderse como una afirmación del poder ilimitado de Dios.

[7] Aquí había en la versión inglesa una discusión acerca de cómo en griego, así como también en castellano, a veces se emplea el término «padre» para cualquiera de ambos padres. Puesto que tal cosa no sucede en inglés, el referirse a Dios como «Padre» tiende a negarle su carácter también maternal. Tales aclaraciones no son necesarias en castellano, pues, por ejemplo, cuando un formulario dice «firma del padre o tutor», tal firma puede ser también la de la madre o tutora.

que el término *pantocrátor* se introdujo en el credo para refutar el concepto de que el poder de Dios debe entenderse como algo separado de los límites de la creación. La doctrina que el Credo refutaba en sus etapas iniciales era la de Marción, quien afirmaba que el Padre de los cristianos distaba mucho del creador de este mundo. Conforme a lo que enseñaba Marción, el creador había echado a perder todo lo que había creado hasta tal extremo que el Padre supremo se vio precisado a enviar a Jesucristo para salvarnos del mundo del creador. De esta manera, Marción no sólo afirmaba el poder del creador en relación con este mundo, sino también que el poder del Padre supremo no tenía que ver con este mundo. En consecuencia, el mundo, el cuerpo y la historia se convertían en entes pecaminosos. El Credo Apostólico, formulado en Roma a mediados del siglo segundo, responde a esos conceptos, afirmando la creencia en un Dios y Padre de cuyo dominio nada escapa. Aun cuando el mal niegue la existencia del dominio de Dios, todo lo que conocemos está sujeto al control de Dios, y sería insensato hablar del poder de Dios aparte de las cosas que hasta ahora conocemos.

El mismo caso se presenta en relación con la «omnipresencia» divina. La Biblia habla de un Dios que está presente en todo lugar:

> ¿A dónde podría alejarme de tu Espíritu?
> ¿A dónde podría huir de tu presencia?
> Si subiera al cielo, allí estás tú;
> si tendiera mi lecho en el fondo del abismo,
> también estás allí.
> Si me elevara sobre las alas del alba,
> o me estableciera en los extremos del mar,
> aun allí tu mano me guiaría,
> ¡me sostendría tu mano derecha!

Salmo 139.7-10

Pero la presencia de Dios no es como la presión atmosféri-
ca, que se ejerce uniformemente y al mismo tiempo y en todo
lugar. La Biblia no dice que la presencia de Dios pueda encontrarse donde quiera que miremos. El profeta Elías no encontró
la presencia de Dios en el fuego ni en el viento recio. Dios les
habló a los discípulos en la persona de Jesús, pero no directamente en la persona de Poncio Pilato. El concepto bíblico de la
omnipresencia no implica que Dios esté igualmente accesible
y disponible en todo momento y lugar. Lo que se quiere decir
es que no hay lugar sobre la tierra donde no podamos contar
con su presencia, aun cuando esa presencia sea para juicio,
como lo afirma el salmista. Existe una enorme diferencia entre
la omnipresencia bíblica y el concepto metafísico que lleva el
mismo nombre, pues este último resulta en una negación de
las particularidades dinámicas de la acción divina.

De igual modo hemos de considerar el concepto de la «infinitud» de Dios, pues sería de muy poca ayuda si la enten-
diésemos en el sentido de la idea filosófica griega sobre la in-
finidad del ser. Como en el caso de la «omnipotencia», es muy
poco lo que sabemos acerca de lo que la «infinitud» divina podría significar. Sabemos que significa etimológicamente «que
no tiene fin»; pero el hecho es que no tenemos una categoría
en nuestras mentes para concebir esa idea. Por tanto, aplicar
tal categoría al ser de Dios nos dejaría en el vacío. Su utilidad
para nosotros no está en la abstracción metafísica, sino más
bien en recordarnos que no debemos vivir en el temor, pues el
poder, amor y cuidado de Dios duran para siempre. En otras
palabras, hablar de la «infinitud» de Dios es una manera menos poética y probablemente menos precisa de decir que Dios
ha sido nuestro refugio «de generación en generación», que

«para siempre es su misericordia», o que Dios es el mismo «ayer, hoy y para siempre».

Todo esto puede resumirse en una frase muy usada por la Biblia: «el Dios viviente.» Muertos están los ídolos de las naciones, pues no tienen poder ni libertad para actuar. Ese dios de los filósofos que se describe como «primer motor inmóvil», «impasible», «omnipotente» e «infinito» no tiene más vida que la que tienen los ídolos, pues entre ellos está. En conclusión, la muerte de tal dios no tiene por qué causar desaliento a los cristianos que buscan fundamentar su fe en el Dios de la Biblia.

Origen y función de los ídolos

Es un dato bien conocido que el dios omnipotente e impasible, del cual hemos dicho que es un ídolo, tuvo su origen en el encuentro de la fe cristiana con el mundo grecorromano. Bajo la presión del medio social que les rodeaba, los cristianos se sentían obligados a testificar de su fe en un solo Dios. Acusados de ateísmo por no tener dioses visibles, tuvieron que recurrir a lo que la tradición filosófica grecorromana enseñaba sobre el Ser Supremo con el fin de dar a conocer la fe cristiana. Los testimonios de Sócrates y Platón, también acusados de subversión, les fueron de ayuda contra los que los acusaban de subvertir el orden social. Hacer compañía con los grandes filósofos cuando éstos afirmaban que más allá y por encima de todo ser existía el Ser Supremo, les daba a los cristianos una posición ventajosa, que incluso confundía a los acusadores. Más todavía, a Sócrates se le acusó de impiedad y de corromper la moral de la juventud, lo que demuestra que la doctrina de un solo Dios no fue siempre bien recibida y que los superdotados de la antigüedad no escaparon a la persecución, que ahora sufrían los cristianos.

Los cristianos optaron por tender puentes apologéticos entre el Dios de su fe y el Ser Supremo de los filósofos. Ya Filón de Alejandría había recurrido al mismo procedimiento para defender el judaísmo en el ambiente helenista de Alejandría, y ahora los cristianos siguieron sus pasos. Gracias a este y otros procedimientos, algunas de las mejores mentes griegas se convirtieron al cristianismo, que vino a ser reconocido como una doctrina respetable.

Sin embargo, tales puentes apologéticos crearon otro problema, ya que abrían un camino de doble vía. En el comienzo del proceso, los primeros apologistas cristianos pudieron establecer ciertas diferencias básicas entre la doctrina cristiana y la filosofía griega. Pero conforme el tiempo pasaba, los teólogos cristianos se familiarizaban más y más con la interpretación de las Escrituras a la luz de la filosofía griega, y más específicamente con la platónica. Por ejemplo, Clemente de Alejandría decía que de Dios no se puede afirmar nada que sea «indigno».[8] Esto significa, conforme a lo que se lee en sus escritos, que todo lo que la Biblia diga de Dios en términos «crudos» —queriendo decir Clemente lo que se diga de Dios en términos no platónicos— debe interpretarse de manera figurada o como alegoría. Lo que todo esto implicaba en última instancia era que el lenguaje filosófico sobre Dios era mucho más preciso, y que el discurso bíblico sobre la deidad debería ser considerado como referencias alegóricas dirigidas principalmente a los menos educados e inteligentes —o, como dirían algunos, a los cristianos «carnales». Cuando surgió la controversia arriana, para el siglo 4, casi todos los teólogos coincidían con el concepto de un Dios inmutable e impasible a la manera platónica. De hecho, se puede plantear la tesis de

---

[8] *Strom. 2.16.*

que la controversia arriana fue el resultado de la incompati-
bilidad entre tal concepto de Dios, por un lado, y la doctrina
de la encarnación, por otro lado. Ese es un tema que abordaré
más adelante.

Muy pocos dudan ya que tal es el origen de lo que llamamos los atributos «tradicionales» de Dios. Empero, lo que
muchas veces no alcanzamos a ver es la conexión directa que
existe entre ese concepto de Dios y los intereses de las clases
dominantes. De hecho, esa filosofía que los cristianos ahora
reclaman para sí se desarrolló durante la época de oro de Atenas. Los filósofos que la producían se enorgullecían del hecho
de que la filosofía era «una ocupación de los desocupados» y
que los que de ella se ocupaban eran superiores a la «multitud» (*hoi poloi*) que no podía dedicarles tiempo y atención a
tales asuntos. Como muchos otros sistemas que se dicen democráticos, la sociedad ateniense generaba su riqueza a base
del trabajo de la clase obrera, gran parte de la cual era escla-
va, mientras sectores de esa sociedad vivían en relativa opu-
lencia. Así es como al decir que la filosofía era una actividad
de desocupados se implicaba que era una ocupación de las
clases adineradas. La sociedad se organizaba de manera tal
que los filósofos no tenían que trabajar. Otros lo hacían por
ellos, mientras ellos dedicaban sus muchas horas de ocio a la
filosofía.

No es de sorprenderse entonces que para tales filósofos la
inmutabilidad fuese la perfección suprema sin la cual nada
podría *ser* en sentido estricto. Este concepto del *ser* no es sólo
el resultado de puras consideraciones intelectuales, como re-
clamaban y creían esas clases, sino el resultado de consideraciones «racionales» moldeadas por una sociedad acomodada
y dada al ocio, en la cual esta filosofía se formó. Para ésta, así
como para cualquier otra cúpula social privilegiada, el cam-

bio social, y especialmente el que implica discontinuidad, era una aberración. El carácter estático del orden social, elevado a una categoría metafísica, constituía el ideal de inmutabilidad perfecta.

Con esto no quiero decir que el filósofo «desocupado» de la antigua Grecia se dedicara conscientemente a desarrollar una ontología que justificara sus privilegios personales. De haber sido así, Sócrates no habría sido condenado a muerte por las clases privilegiadas de Atenas. Los intereses de las clases dominantes operan de una manera mucho más sutil, penetrando la mentalidad tanto de los que forman parte de ellas como de los que son sujetos a ellas, a tal punto que esos intereses se confunden eventualmente con la pura racionalidad. Tal es el caso de Sócrates, quien fue acusado de subversión porque entró en contradicción con la ideología de la sociedad ateniense, de la que formaba parte. A pesar de esa acusación, tanto Sócrates como su discípulo Platón se mantuvieron a la defensa de los mejores valores de la aristocracia ateniense. Se ha recalcado que la visión platónica de un estado ideal, así como el orden del mismo, era esencialmente aristocrática, aunque se trataba de una aristocracia basada en el intelecto, más que en el poder económico. Lo que no se ha recalcado con la misma regularidad es que lo mismo ocurre con su metafísica.

Cuando los cristianos comenzaron a interpretar su concepto de Dios en términos platónicos en su afán por comunicar su fe al mundo grecorromano, no fue una idea sociopolítica neutral la que introdujeron en la teología, sino una idea aristocrática de Dios, que de ese momento en adelante serviría para justificar a las altas clases privilegiadas, sacralizando así la inmovilidad como una característica divina. El Yahvéh que intervino con brazo poderoso en la historia para liberar a los esclavos oprimidos en Egipto y que sigue interviniendo

a favor de las viudas, los huérfanos y los extranjeros, fue su-
plantado por el Ser Supremo, el dios impasible que no ve el
sufrimiento de sus hijos en el exilio, ni tampoco las injusticias
de las sociedades humanas, quien bajo ninguna circunstancia
intervendrá en favor de los pobres y los oprimidos. Es posible
estudiar la historia del cristianismo con el fin de ver cómo ese
dios ha obrado en favor de las clases privilegiadas al eliminar
los cambios y sacralizar el statu quo. Esto se verá más claramente cuando en el próximo capítulo abordemos la doctrina
de la Trinidad. Baste, por ahora, ver cómo funciona este dios
en el mundo de hoy.

En el momento en que se escriben estas páginas, existe en
Estados Unidos un movimiento que propone que se imple-
mente el uso de períodos de oración en las escuelas del sistema público. Muchos de los que están involucrados activamente en este movimiento se oponen radicalmente a la educación
bilingüe, por entender que el uso del castellano, o cualquier
otro idioma que no sea el inglés, es un estorbo a la educación.
La oposición a la educación bilingüe es sólo parte de una gran
campaña en contra de todo cambio que lesione los grandes intereses de las clases dominantes. Esta campaña procura hacer
cortes presupuestarios en los programas de asistencia social,
implementar nuevas leyes migratorias, poner menos énfasis
en las leyes sobre los derechos civiles y sobre la contamina-
ción ambiental, y acumular más recursos para la industria
militar. Es significativo que el mismo sector político que se
muestra tan insensible a las demandas de justicia que requiere
el Dios de la Biblia se muestra a la vez tan preocupado por
hacer oraciones en las escuelas. ¿Qué es lo que aquí ocurre?
No se busca que las oraciones contribuyan a una mayor justicia en esta sociedad, pues quienes procuran que se ore en las
escuelas públicas muestran poco interés en cuestiones de jus-

ticia social. Más bien, el propósito parece ser que las oraciones contribuyan a sacralizar la práctica de muchas escuelas y de la sociedad entera, haciendo parecer que Dios considera que no hay problemas de injusticia en el sistema educativo de la nación toda. El dios al cual estas oraciones se dirigirán no es el Dios que asume la defensa del pobre y del extranjero, sino el dios que defenderá las fronteras en contra de los «extraños»,[9] y que protegerá a la cultura dominante frente a las minorías, olvidando que en las Escrituras es primeramente a los extranjeros y desvalidos a quienes Dios ofrece su protección. Ese dios de las oraciones en las escuelas públicas no es el Dios de las Escrituras, sino un dios pagano, un ídolo al igual que Baal y sus consortes.

Consideremos otro ejemplo. Si los atributos esenciales de Dios fuesen la omnipresencia, la omnipotencia y la omnisciencia, lo que más se asemejaría al carácter de Dios serían las corporaciones transnacionales, pues ellas encarnan lo que más se asemeja a esos atributos. Lo absurdo de esto puede resultar cómico aun. Sin embargo, es totalmente cierto que el concepto de Dios como omnipotente, omnipresente y omnisciente justifica y estimula la búsqueda de esas características de poder para su uso en la sociedad. Las mismas, no obstante, son clasificadas como pecaminosas en la Biblia. No se trata entonces del Dios de las Escrituras, sino de un ídolo cuyo poder se utiliza para justificar el poder de las grandes corporaciones. Las sociedades agrícolas de antaño tenían sus dioses de la fertilidad, y el dios de hoy se vuelve un dios de la prosperidad. Así como Osiris justificaba el poder del Faraón, también hoy el ídolo que llaman «dios» justifica el poder, dominio y con-

---

[9] El término que se usa comúnmente en Estados Unidos para referirse al inmigrante, *alien*, es igual a la palabra que se usa para los seres extraterrestres y para todo ser que nos es desconocido y, en cierto modo, amenazador.

trol en la sociedad moderna. Mejor sería que ni en las escuelas, ni menos aún en nuestras iglesias se eleven oraciones a semejante dios.

Los ídolos tienen una función eminentemente socioeconómica. A veces pensamos que este entendimiento de la función de los ídolos en términos socioeconómicos se lo debemos principalmente a la crítica marxista de las ideologías. Sin embargo, tal crítica y tal entendimiento se encuentran ya en las Escrituras. En Hechos 19.24, leemos sobre la relación entre la adoración de la diosa Artemisa de Éfeso y los intereses de los joyeros y plateros cuyo negocio dependía de ese culto. El texto nos habla acerca de «un platero llamado Demetrio, que hacía figuras en plata del templo de Artemisa», quien «proporcionaba a los artesanos no poca ganancia». Este hombre convocó a esos artesanos, así como a todos los que se relacionaban con el negocio, y les habló de una manera muy significativa:

> Compañeros, ustedes saben que obtenemos buenos ingresos de este oficio. Les consta además que el tal Pablo ha logrado persuadir a mucha gente, no sólo en Éfeso sino en casi toda la provincia de Asia. Él sostiene que no son dioses los que se hacen con las manos. Ahora bien, no sólo hay el peligro de que se desprestigie nuestro oficio, sino también de que el templo de la gran diosa Artemisa sea menospreciado, y que la diosa misma, a quien adoran toda la provincia de Asia y el mundo entero, sea despojada de su divina majestad.
>
> Hechos 19.25-27

Demetrio logró exactamente lo que se proponía, pues «cuando oyeron estas cosas, se llenaron de ira, y gritaron, diciendo: ¡Grande es Artemisa de los efesios!»

Lo que resulta notable en este episodio es la manera en que Demetrio conecta los intereses de su audiencia —y de hecho de toda la ciudad de Éfeso, que lucraba con el culto a la diosa Artemisa— con la piedad misma. Su preocupación se fundamenta tanto en asuntos religiosos como económicos, aun cuando lo que ocurrió al final fue una explosión de indignación religiosa, como si la única razón por la que la multitud se oponía a la predicación de Pablo fuese que su religión corría peligro. Desde luego que era muy difícil comenzar un alboroto gritando: «Pablo es una amenaza para nuestros negocios». Aun cuando la verdadera razón del alboroto es económica, tal razón se oculta tras el clamor de corte más religioso: «¡Grande es Artemisa de los efesios!» Es que la idolatría sirve a los intereses de los que de ella se benefician.

Lo mismo ocurre en el día de hoy. Los intereses estadounidenses que invierten en el extranjero usan como protección a ese «dios» que se hace pasar por el Dios de las Escrituras. Por esa razón muchas personas religiosas se llenan de ira cuando en los países del Tercer Mundo la gente se opone a esos intereses, pues para ellos es lo mismo que oponerse a Dios. Ese ídolo, junto al complejo militar e industrial (y a veces también buena parte del sistema académico), produce los cada vez más peligrosos arsenales atómicos, con el supuesto fin de defender la civilización occidental, que es para ellos lo mismo que defender el cristianismo. Los que hoy defienden los intereses de los privilegiados nos convocan, igual que los Demetrios de ayer, a ser más «religiosos». Pero lo cierto es que se trata de un llamado a servir a los ídolos que apoyan el statu quo. A tal llamado deberíamos nosotros responder: «Dejen que los dioses muertos entierren sus muertos.» Dejen que el «dios» de los privilegiados siga el mismo camino que Artemisa, Huitzilopochtli y los cocodrilos del Nilo.

7

UN DIOS QUE VIVE EN TRES

Recuerdo que uno de mis profesores en la Universidad de Yale acostumbraba decir que la doctrina de la Trinidad no tenía ningún sentido para él. Entonces añadía que le tenía suficiente respeto a la tradición de la iglesia como para no rechazar esa doctrina, aun cuando no le viese mucho sentido. Me atrevo a sugerir que tal es la actitud de muchos cristianos que, como él, pertenecen a iglesias en las cuales se confiesa la fe trinitaria y donde se usan fórmulas trinitarias en los actos litúrgicos, y a quienes les sería muy difícil responder si se les preguntara sobre la Trinidad. Esto no es de extrañar, pues en los últimos siglos esta doctrina ha tenido un lugar ínfimo en el quehacer teológico, ya sea fundamentalista, ya liberal o ya católicorromano. La introducción a la *Dogmática eclesiástica* de Karl Barth, que comienza con una discusión sobre la Trinidad, podría considerarse como algo insólito, y hasta anómalo, pues el mismo Barth no encontró precedente sino remontándose siete siglos atrás en la historia a las *Sentencias* de Pedro Lombardo y al *Breviloquio* de Buenaventura.[1] Muchos de no-

---

[1] «Al colocar la doctrina de la Trinidad a la cabeza de toda la dogmática estamos adoptando una posición que es bastante solitaria, si se mira la historia de la dogmática. En realidad no es tan única, pues por una situación similar pasaron durante la Edad Media Pedro Lombardo con sus *Sentencias,* y Buenaventura con su *Breviloquio.*» *Church Dogmatics,* T & T Clark, Edimburgo, 1936, I/I, p. 345.

sotros, al igual que mi profesor de hace treinta años,[2] sabemos que la doctrina de la Trinidad está directamente relacionada con la esencia de la fe cristiana, y aun cuando no comprendamos su sentido, se nos hace muy difícil deshacernos de ella. Esa es la razón que justifica el abordar el tema de la Trinidad, pues existe la posibilidad que desde la perspectiva hispana, que es diferente a la de la cultura dominante, encontremos en esta antigua doctrina aspectos y dimensiones insospechadas.

La doctrina trinitaria y el Concilio de Nicea

No cabe duda de que gran parte de los obstáculos con que nos encontramos al tratar de comprender la doctrina de la Trinidad reside en nuestra dificultad en el manejo del lenguaje que se utilizó en el Concilio de Nicea, de donde viene la formulación tradicional de esa doctrina. Palabras tales como *homousios,* «hipóstasis», «substancia» y otras más no forman parte de nuestro vocabulario, y sus significados son ajenos a nuestra manera de pensar. Más todavía, tales conceptos son también ajenos a la manera en que las Escrituras hablan acerca de Dios. En ese sentido, parecería que hay motivos para declarar al Concilio de Nicea como extrabíblico al referirse a la doctrina de Dios en tales términos, lo que nos autorizaría a pasar por alto sus decisiones y a descartar en consecuencia la teología trinitaria.

Sin embargo, el asunto no es tan simple como parece, pues aun cuando conceptos tales como *homousios* e «hipóstasis» no aparecen en las Escrituras, existe en la Biblia amplia evidencia de que mucho antes de los debates que condujeron a la convocación del Concilio de Nicea, ya la Iglesia confesaba su fe

---

[2] Ahora son más bien cuarenta y cinco años.

en las tres personas de la Trinidad. Es probable que la fórmula bautismal trinitaria que encontramos en Mateo 28.19 sea de origen bastante tardío. El texto de 1 Juan 5.7 que dice: «Tres son los que dan testimonio en el cielo: el Padre, el Verbo y el Espíritu Santo; y estos tres son uno» (RVR 95) es a todas luces una interpretación posterior. Pero las cartas de Pablo, que son anteriores a esos pasajes, muestran que la iglesia cristiana declaró desde el principio su fe en tres personas, que en el pensamiento de Pablo son: Dios (o Dios el Padre), el Señor Jesucristo, y el Espíritu Santo. Léase, por ejemplo, la que con toda probabilidad es la carta más antigua de Pablo, y por tanto el documento más antiguo del Nuevo Testamento, 1 Tesalonicenses. Allí encontramos fórmulas tales como: «Siempre damos gracias a Dios ... Los recordamos constantemente delante de *nuestro Dios y Padre* a causa de la obra realizada por su fe ... su esperanza en *nuestro Señor Jesucristo* ... sabemos que ... nuestro evangelio les llegó ... con poder, es decir, *con el Espíritu Santo*» (1Ts 1.2-5). Tales referencias a la Trinidad aparecen en el resto de las cartas de Pablo, así como en otros escritos del Nuevo Testamento, e inclusive el capítulo 5 de 1 Juan, el cual sigue siendo un texto trinitario aun cuando se elimine la interpolación a que acabo de referirme. Las mismas referencias a la Trinidad se encuentran en otros textos fuera del Nuevo Testamento.

Hay gran variedad en la manera en que se expresa la fe trinitaria en la antigüedad, pues algunos documentos se refieren simplemente a las tres personas sin ninguna otra explicación,[3] mientras que otros lo hacen en términos de las especulaciones

---

[3] Por ejemplo, Clemente, *Ad Cor.* 46; 58.2.

angeleológicas de la época[4] y otros se refieren a la Palabra y al Espíritu como las «manos» de Dios.[5] El caso es que todas las diversas formulaciones se refieren a la misma tríada de Padre (Dios), Hijo (Verbo o Señor) y Espíritu (o Espíritu de Dios) como expresión de una fe común no articulada todavía en una fórmula para uso universal.

El caso es el mismo en cuanto al bautismo en el nombre trino. El libro de los Hechos de los Apóstoles se refiere a un «bautismo en el nombre de Jesús» (Hch 8.16). En el mismo libro se ve que esta clase de bautismo parece defectuosa o incompleta, pues después de habérseles administrado a algunas personas, los apóstoles les imponen las manos para que reciban también el Espíritu Santo. De modo que la fe de la iglesia primitiva no fue sólo en Dios (el Padre), ni sólo en el Hijo (Señor), sino también en el Espíritu Santo. Por ello es que, aparte de lo dicho sobre Hechos, la práctica de la iglesia primitiva era bautizar en el nombre de las tres personas. Esto se refleja claramente hasta el día de hoy en la estructura de la mayoría de los credos antiguos, que se derivan de los interrogatorios hechos a los candidatos al bautismo. Por medio de preguntas claves, la iglesia se aseguraba de que los nuevos bautizados creyeran efectivamente, como dice el viejo credo bautismal romano (precursor del Credo Apostólico), «en Dios

---

[4] II *Clem. 15. I; Ascensión de Isaías* 10.4. Cf. Jean Daniélou, «*Trinité et angélologie dans la théologie judéo-chrétienne*» *Recherches de Science Religieuse* 45, 1957, pp. 5-41.

[5] Esta es una imagen característica de Ireneo. Ver Jean Mambrino, «*Les Deux Mains de Dieu dans l'oeuvre de saint Irenée*» *Nouvelle Revue Théologique*, 79, 1957, pp. 355-70. Ya he discutido el significado de esta imagen en *Retorno a la historia del pensamiento cristiano: Tres tipos de teología*, Kairós, Buenos Aires, 2004, pp. 63-64.

Padre todopoderoso ... en su Hijo Jesucristo ... y en el Espíritu Santo».

Por todo ello, es necesario distinguir entre la fe en un Dios con nombre trino (Padre, Hijo y Espíritu Santo) y las formulaciones hechas posteriormente, como es el caso del Concilio de Nicea. Por muy perplejos que hayan estado los obispos reunidos en ese concilio y por mucho que la cuestión debatida se haya complicado innecesariamente por razón del uso de lenguaje filosófico y ontológico, el hecho es que lo que buscaban hacer — y lo que hicieron en la medida de lo posible, dadas las circunstancias — era articular lo que había sido la fe de la iglesia por siglos.

Por otra parte, el modo en que las cuestiones se plantearon en Nicea reflejaba directamente la manera en que la teología aceptada generalmente se había planteado la doctrina de Dios —cuestión que exploramos en el capítulo anterior. La doctrina de la inmutabilidad absoluta de Dios conducía inexorablemente al problema de la relación de ese Dios con un mundo mutable. En cierto modo, éste no era un problema esencialmente nuevo, pues ya Platón había confrontado problemas al relacionar su mundo de las ideas puras con el mundo de existencia transitoria en que vivimos. Platón alcanzó un éxito muy limitado y relativo en su intento de establecer un puente entre ambos mundos mediante su teoría de la «participación». La misma suerte corrieron todos los que intentaron interpretar la tradición judeocristiana utilizando categorías platónicas. El ejemplo más importante lo ofrece el apologista Justino Mártir en el siglo 2, quien tanto hizo por traer a relación la doctrina cristiana y la filosofía griega. Tal como lo hizo Platón antes que él, Justino comenzó afirmando que la inmutabilidad era necesaria a la perfección y que por lo mismo, el Ser Supremo, es decir, Dios, debe ser inmutable. Entonces la pregunta obligada es: ¿cómo puede tal Dios inmutable entrar en relación con un mundo mutable? Para resolver este problema, Justino recurrió a una doctrina de viejo abolengo entre los filósofos griegos, como lo era la doctrina del «logos». El logos es el ente que conecta al mundo de Dios con este mundo, es decir, lo inmutable con lo mutable. Y es ese Logos o Verbo el que se encarnó en Jesucristo, quien por consiguiente sirve de puente entre el Dios inmutable y el mundo mutable. Estas posturas de Justino se habían hecho comunes a la teología cristiana y por lo tanto, dentro de ese contexto, tuvo lugar la controversia entre el arrianismo y la ortodoxia nicena que lo refutaba.

No obstante, antes de proseguir con la discusión sobre el desarrollo de la teología trinitaria, es aconsejable que abramos un paréntesis y veamos brevemente la otra función que en el pensamiento de Justino tenía la doctrina del Logos: servir de puente entre la revelación cristiana y la filosofía clásica. En esa tradición filosófica se afirmaba que era posible conocer el mundo solamente porque tanto el mundo como la mente humana participan de una razón común, de un orden lógico común, al que se daba el nombre de «Logos». En ese contexto, el Logos se convertía en la fuente de todo verdadero conocimiento, de tal modo que todo conocimiento es posible sólo a través del Logos. Aplicando esto al prólogo del cuarto Evangelio, donde se habla de la encarnación del Logos o Verbo de Dios en Jesús, Justino concluye que la sabiduría lograda por todos los filósofos desde la antigüedad les fue conferida a través del mismo que se encarnó en Jesús. Esto le permitía hacer la sorprendente afirmación de que tanto Sócrates como Platón eran en cierto modo cristianos, aunque se apresuraba a decir que esos filósofos conocieron el Logos sólo «en parte», mientras que los cristianos, al conocer a Jesús, han visto al Logos en su «totalidad».[6]

Gracias a la doctrina del Logos, a los cristianos les fue posible apropiarse de lo mejor de la cultura clásica, sin prescindir al mismo tiempo de la centralidad de la encarnación de Dios en Cristo. La doctrina del Logos, así entendida, es la base que justifica todo el proceso discutido en el capítulo anterior, donde vimos que el Dios de Abraham fue interpretado como el impasible Ser Supremo de los filósofos.

Para lo que aquí nos concierne, es importante señalar que el cristianismo posconstantiniano ha recurrido a la doctrina del Logos solamente cuando se ha topado con pueblos a los que no ha podido someter por medio de las armas. Hasta qué punto esto ha sido cierto a través de la historia misionera es tema que merece mayor investigación en futuros trabajos. Pero me parece evidente el contraste entre los métodos misioneros utilizados por Ricci en la China y De Nobili en la India[7] por un lado, y los utilizados por la mayoría de los conquistadores y misioneros en África y América Latina, por otro. Esa diferencia se relaciona directamente con la realidad pragmática de que los imperios colonialistas que apoyaban a las misiones podían conquistar al África y América Latina,

---

[6] Justino, I *Apol. 46.3-4; II Apol. 7.3; 10.2-3.*

[7] Al presente se publica la edición de *Fonti Ricciane*, Libreria do Bello Stato, Roma, 1942. Dos buenas introducciones son V. Cronin, *The Wise Man from the West*, Londres, R. Hart-Davis, 1955, y George H. Dunne, *Generation of Giants: The Story of the Jesuits in China in the Last Decades of the Ming Dynasty*, Burns & Oates, Londres, 1962. Sobre los asuntos teológicos tratados ver J. Bettray, *Die Akommodations-methode des P. Matteo Ricci in China*, Universitas Gregoriana, Roma, 1955. He compendiado la controversia sobre los métodos y resultados de Ricci en *Historia del cristianismo*, vol. 2, Unilit, Miami, 1994, pp. 239-42. Sobre de Nobili, ver V. Cronin, *A Pearl to India: The Life of Roberto de Nobili*, E. P. Dutton, Nueva York, 1959.

pero no a la China y la India. Respondiendo a esa realidad, los misioneros determinaron que la cultura china, por ejemplo, mostraba signos claros de haber recibido inspiración del Logos, pero que no ocurría igual con los africanos e indígenas americanos —a los que consideraban como salvajes ignorantes en cuya vida y civilización no se manifestaban sino poderes demoniacos. Muy poco distaba esto de declarar que a los chinos se les podía considerar como humanos, ya que el Logos universal les había hablado en su cultura, pero que lo mismo no se podía afirmar de los africanos «salvajes» ni de los indígenas del Nuevo Mundo. Estos últimos, por no dar muestras de la revelación del Logos, eran seres inferiores, no tenían verdadero derecho sobre sus propias tierras y eran por lo tanto susceptibles a ser despojados de sus propiedades y a la vez esclavizados legítimamente.[8]

Cerramos el paréntesis abierto para explicar la manera como ha funcionado la doctrina del Logos en la expansión colonial y misionera, y volvemos al papel que el Logos ocupó en el desarrollo de la doctrina de la Trinidad. El problema que

---

[8] El debate sobre si los indígenas americanos eran del todo humanos va mucho más allá de la posibilidad de su conversión. Implicaba también su derecho a tener y administrar propiedades y, en cuanto a la iglesia, la posibilidad de ordenación. La teoría de que en la mejor de sus condiciones los indígenas eran «como niños», no sólo fue la base para un paternalismo bien intencionado, sino también para la expropiación de sus tierras y para la comisión de varios otros abusos. Tal estado de cosas todavía existe. En el siglo 20, un historiador católico español, al admitir que el falso sentido de superioridad de los misioneros españoles había causado mucho daño, afirmaba que «Cualquiera que conozca algo de las Américas, se dará cuenta de que algunas tribus que han sido aisladas de toda forma civilizada de vida necesitan algún tiempo para asimilar los principios de niveles más altos de vida». León Lopetegui en León Lopetegui y Félix Zubillaga, *Historia de la Iglesia en América española: Desde el descubrimiento hasta comienzos del siglo XIX, vol. L, México, América Central, Antillas*, Biblioteca de Autores Cristianos, Madrid, 1955, p. 100.

más tarde se habría de presentar en el movimiento arriano se advierte ya en la teología de Justino, ya que ambos sistemas de pensamiento parten de una misma presuposición: el contraste entre mutabilidad e inmutabilidad define la diferencia entre Dios y la creación. Vistas las cosas de ese modo, Justino no tiene otra alternativa que afirmar que el Logos es un ser intermedio entre Dios y el mundo creado. En otras palabras, es un ser situado ontológicamente entre la transitoriedad del mundo y la inmutabilidad de Dios. Justino se expresó refiriéndose al Logos como «otro Dios».[9] Aunque tales formas de expresión, que parecían negar el monoteísmo, fueron abandonadas con relativa prontitud, la visión fundamental sobre la inmutabilidad de Dios y la mutabilidad de la creación se hizo de uso común. Para la época del Concilio de Nicea, la inmutabilidad de Dios, en contraste con la mutabilidad del mundo, era un asunto que la mayoría de los obispos y teólogos daban por sentado.

Ese es el contexto del que surge el arrianismo. Hoy la mayoría de los eruditos rechaza la visión tradicional, según la cual el arrianismo fue un movimiento de tendencias judaicas cuyo propósito principal era reafirmar el monoteísmo hebreo. Debo añadir que ese concepto, surgido en medio de la controversia del siglo 4, era en parte una expresión de prejuicios antisemitas que llevaban a pretender que el origen de esa y otras herejías se encontraba entre judíos y judaizantes, cuando lo cierto es que tanto Arrio como sus opositores eran influenciados más bien por la filosofía griega. La presuposición básica de Arrio era que Dios el Padre era inmutable y que el Logos era un intermediario mutable que mediaba entre Dios y el mundo mutable. Aunque es cierto que tanto Arrio como

---

[9] *Dial.* 56.11.

sus opositores endosaban una teología monoteísta, básica a la
tradición judeocristiana, el problema principal no era si había
uno o varios dioses, sino el del estatus del Logos o Verbo.[10]

Lo que más preocupaba a Arrio era la posibilidad de que
al Logos pudiera llamársele Dios, pues tal declaración haría
de Dios un ser mutable. De hecho, la realidad de la encarnación deja ver que el Logos es mutable. Decía Arrio que «hubo
cuando no lo hubo», es decir, hubo un tiempo cuando aún no
existía el Logos. Acuñó esta frase con el propósito de señalar
que la razón por la cual el Logos puede relacionarse directamente con el mundo, y en la encarnación vino a ser parte de
él, es que, a diferencia del Padre, el Logos es un ser creado y
mutable.

La convocatoria del Concilio de Nicea para dirimir esta
controversia dejó en claro que se trataba de un asunto imperial, ya que el Concilio mismo fue convocado y presidido por
el emperador. Todos los obispos viajaron desde sus sedes hasta Nicea a expensas de los fondos imperiales. También se hizo
evidente que al llegar al cónclave, ni el emperador Constantino ni la mayoría de los obispos sabían con claridad cuál era el
sentido o la importancia de la discusión. Lo que sí estaba claro
en la mente del emperador, y así lo hizo saber a los obispos,
era que el Concilio debía resolver el problema en disputa para
devolver la paz a la iglesia. Quién tenía la razón no era tan
importante para el emperador como el que todos llegasen a
un acuerdo. No fue sino hasta que el debate entró en calor y

---

[10] Todo esto no ignora ni rechaza el argumento convincente de R. C. Gregg
y D. E. Groh, el cual propone que en este debate los asuntos principales
son básicamente soteriológicos; Gregg y Groh, *Early Arianism: A View of
Salvation*, Fortress Press, Filadelfia, 1981. Pero ocurre que, aparte de las
preocupaciones soteriológicas, el debate tuvo que ver con la divinidad del
Verbo.

la posición de Arrio fue entendida cabalmente que los obispos se percataron de que era necesario reafirmar la divinidad del Hijo o Logos de Dios. Como resultado de esta posición se formuló un credo en cuyos artículos se declara que el Hijo es «Dios de Dios, luz de luz, verdadero Dios de verdadero Dios,» y «consubstancial con el Padre» (*homousios to patri*). Es importante notar que aunque el credo de Cesarea, usado probablemente como modelo para el Credo Niceno, usa los términos «Palabra» o «Logos» de Dios, los reunidos en Nicea prefirieron hablar del «Hijo». Con esto no se proponían rechazar la doctrina del Logos, que ya era de gran importancia en la teología cristiana, sino que preferían usar un término más personal. Por eso recurrieron al término «Hijo».

Los eruditos del siglo 19 que interpretaban la historia del pensamiento cristiano como la deificación progresiva de Jesús decían que el Concilio de Nicea fue la apoteosis final de Jesús. No cabe duda de que allí se proclamó de manera contundente la divinidad de Jesús como igual a la del Padre. Lo que se advierte, por otro lado, es que esta aparente «promoción» o elevación del Hijo, puede verse también como una «democión» de toda la deidad. Aunque quizá de forma inadvertida, el Concilio rehusó aceptar la supuesta inmutabilidad e impasibilidad de Dios como la última palabra. La doctrina que allí se promulgó serviría para recordarle a la iglesia que hay una gran distancia entre el Dios viviente y activo de las Escrituras y el estático «Ser Supremo» o «causa primera» de los filósofos y de buena porción de la teología cristiana. La declaración central de los obispos en Nicea fue que Aquel que «sufrió por nosotros y resucitó al tercer día» es «Dios de Dios, luz de luz, verdadero Dios de verdadero Dios ... consubstancial con el Padre». ¿Cómo, entonces, puede la substancia divina ser concebida en términos estáticos o inmovibles? Esta declaración continuará desconcertando a los cristianos de generación en generación, ya que para ellos tiene carácter dogmático, aun cuando su lenguaje presenta a la deidad en términos difícilmente compatibles con el concepto de Dios que la misma teología ha llegado a considerar como normativo.

La inconsistencia de la posición nicena se ha hecho muy evidente. De hecho, tal inconsistencia fue uno de los argumentos más serios dirigidos por el partido arriano contra las decisiones del Concilio. Aun cuando el concepto ontologista y estático de Dios enarbolado por la mayoría había atrapado a los obispos reunidos en Nicea, éstos rehusaron endosar ese concepto en toda su extensión. Más bien optaron por poner un obstáculo formidable en el camino de todo aquel que intentara llegar a tales conclusiones: el Hijo de Dios, el mismo que hemos visto, tocado y palpado en Jesucristo, es «consubstancial con el Padre». De esta manera se preservó el Dios «minoritario» en contra de las enormes fuerzas que trataban de reformular un concepto de Dios que se ajustara a las exigencias del nuevo estatus del que comenzaban a disfrutar los cristianos.

El arrianismo pareció presentar una posición más consistente que la nicena. Según los arrianos, Dios es inmutable y por lo tanto no se relaciona directamente con el mundo creado. Como punto de enlace entre ambos, argumentaba Arrio, estaba el Logos de Dios, que era una figura mutable, aunque una criatura preexistente que se había encarnado en Jesús de Nazaret. Sin embargo, esta posición, al parecer más coherente que la nicena, creaba en realidad más problemas que los que resolvía, como fue ampliamente demostrado por sus opositores.

Una breve mirada a la teología de uno de los más conspicuos líderes del partido niceno, Atanasio, nos puede ayudar a entender por qué se oponía al arrianismo y a su concepto de la deidad. Todos los que ven en Arrio un firme defensor del monoteísmo en contra de lo que entienden es un presunto y velado politeísmo por parte del partido niceno tienen que enfrentarse con la consistente tesis monoteísta de Atanasio. Uno de los temas más recurrentes en los escritos de Atanasio es la existencia de un Dios único. El otro tema prominente en sus escritos es que la salvación proviene de Dios. Atanasio rechazó la posición arriana basándose en estas dos presuposiciones, consideradas centrales para la fe cristiana. Si el Logos arriano es una criatura, el autor de nuestra salvación es una criatura, y no Dios. Si por el otro lado el Logos arriano es divino pero no consubstancial con el Padre, tenemos que concluir que existen dos dioses. En última instancia, Atanasio rechazó todo el sistema arriano porque en el momento en que uno afirma que la función del Logos o Palabra de Dios es servir de intermediario entre el Dios inmutable y el mundo mutable, uno se queda con el problema de necesitar otro intermediario entre el Dios inmutable y el Logos mutable, y así se sigue hasta el infinito. En contraste con la posición de Arrio, Atanasio insiste en la comunicación directa de Dios con la creación y especialmente con las criaturas humanas. La trascendencia de Dios no debe entenderse de tal forma que impida su relación con el mundo y en particular con los seres humanos. No se rechaza la inmutabilidad de Dios de forma expresa en los escritos de Atanasio, pero resulta claro que no acepta la posición arriana, porque el tomar la inmutabilidad como punto de partida haría imposible que Dios se comunique directamente con la humanidad. La diferencia entre el Padre y el Hijo no puede plantearse como la diferencia que existe entre lo mutable y lo inmutable.

En cualquier caso, los resultados del Concilio de Nicea tienen implicaciones políticas que van más allá de lo que parecería obvio. Es obvio que el Concilio fue convocado por órdenes del emperador Constantino y que el Concilio hubiera preferido no tomar decisión alguna sobre el problema en cuestión. Lo que no es tan obvio es que su decisión y la doctrina que se promulgó han tenido —como toda doctrina— implicaciones políticas. Lo que se declaró en Nicea fue que el «Dios de Dios» se encarnó en un carpintero judío que fue condenado a muerte por el poder imperial de la Roma de su tiempo. Ese Dios es el que el emperador ahora había aceptado. Mientras tanto, el propio Constantino, y hasta algunos líderes religiosos en torno a él, procuraban presentar al emperador como casi divino y a Dios como parecido al emperador. Según la tradición imperial romana, Constantino tenía asegurado su lugar en el panteón de los dioses. De hecho, su conversión al cristianismo no fue un obstáculo para que fuese declarado dios después de su muerte. La divinidad del emperador fue siempre uno de los bastiones del poder imperial, así como una de las razones principales por la que los cristianos fueron perseguidos. Constantino no estaba dispuesto a cambiar tal posición de privilegio por la de los seguidores de un carpintero ejecutado en una cruz. La exaltación de Dios era de suma importancia para él y sus sucesores, ya que esto implicaba la exaltación de los emperadores que se convertían en representantes y campeones de Dios. El problema es que si un carpintero condenado a muerte como bandido, alguien que ni siquiera tenía donde reclinar su cabeza, era declarado como «verdadero Dios de verdadero Dios», tal afirmación pondría en dudas el concepto de Dios y de la jerarquía sobre la cual reposaba el poder imperial.

Consecuentemente, que Constantino reexaminara los términos de la decisión conciliar poco tiempo después que concluyó el Concilio no sorprende a nadie. Para los días del Concilio, él mismo había ordenado la condenación y el exilio de

Arrio. Sin embargo, algunos años después le ordenó al obispo de Constantinopla que le readmitiera en la comunión de la iglesia. De ahí en adelante, les brindó su creciente apoyo a los arrianos en sus esfuerzos por eliminar la declaración de Nicea. Finalmente, Constantino fue bautizado en su lecho de muerte por Eusebio de Nicomedia, uno de los líderes más fervorosos del partido arriano, quien para ese entonces se había convertido en uno de los consejeros más confiables del emperador en asuntos religiosos.

No creo necesario narrar aquí todas las vicisitudes políticas de la controversia. Pero sí debo señalar que, aunque ambos grupos hicieron uso del poder político en sus esfuerzos por lograr el favor oficial, el que logró más amplio y abierto apoyo de los emperadores fue el partido de Arrio. Es evidente que en tiempos de Constancio la mayoría de los líderes eclesiásticos se oponían al arrianismo. Sin embargo, el emperador favorecía de tal modo esa doctrina que obligó a muchos obispos a endosar declaraciones de fe arrianas o casi arrianas. Con esto, el emperador demostraba una fina intuición política, pues el Dios impasible de los arrianos, el cual era muy diferente a la figura pasible y de segunda categoría del Hijo, o Verbo de Dios, le daba mucho más apoyo a la autoridad imperial que el Dios viviente y activo de las Escrituras, aun en la forma mitigada en que lo presentaba la declaración nicena.

El patripasionismo como alternativa

El hecho de que la doctrina que caló realmente en las masas fue el patripasionismo y no el arrianismo es muy significativo. Esta es la posición de quienes afirman que no hay diferencia alguna entre el Padre y el Hijo. Esta posición se expresó en formas diferentes, pero en general sostiene que el

Padre, el Hijo y el Espíritu Santo no son más que tres «modos» o «maneras» de referirse al mismo y único Dios. Según esta posición, Dios se presentó como Padre en el período vetero-testamentario, como el Hijo en Jesucristo y como el Espíritu Santo en la vida de la iglesia. Los opositores de esta posición le llamaban patripasionismo porque implica que el Padre sufrió la misma pasión que sufrió Jesús en la cruz. Algunos de los opositores del patripasionismo argumentaban que tal doctrina hacía de Dios un ser pasible, con lo cual, sin darse cuenta, fortalecían la posición de los arrianos. Pero lo que no advertían los opositores al patripasionismo es que la razón por la que esta posición atraía a tantos en la iglesia era que para éstos, Dios en Cristo se convertía en parte central de la experiencia humana. Para ellos, Dios no resultaba ser como el emperador y sus nobles, quienes vivían vidas muelles separa-das de las multitudes. Para ellos Dios había participado de las vicisitudes y luchas de la vida diaria tal como ellos lo hacían. Parece que en este punto en particular, el patripasionismo re-cobraba la visión bíblica de Dios que los grandes líderes de la iglesia comenzaban a perder.

Esto no significa que el rechazo eventual del patripasionis-mo por parte de la iglesia en general constituyera un error. La afirmación del sufrimiento de Dios por parte del patripa-sionismo era correcta. El problema surge cuando se niega la diferencia entre el Padre y el Hijo, pues se pierde la dialéctica entre poder e impotencia, sufrimiento y esperanza que es tan central a la doctrina cristiana de la redención. Lo que en rea-lidad hace del sufrimiento de Cristo un signo de esperanza es que en medio de tal agonía esté el Padre presente para le-vantarle de la muerte al tercer día. Lo que hace tan poderosa a su impotencia es que aunque Dios es crucificado en Cristo, al mismo tiempo sostiene todo el universo en la persona del Padre, incluyendo aun a los que le crucifican.

El otro punto en que el patripasionismo se hizo vulnerable es en su concepto de la encarnación como una etapa temporal. Dios se hizo carne, pero no permaneció en ese estado. La iglesia afirmaba, por el contrario, que la encarnación no fue una etapa momentánea en la vida de Dios. Que Dios no asumió la humanidad como una vestidura por treinta y tres años para luego descartarla. Que la encarnación no termina con la crucifixión y resurrección de Jesucristo, sino que por el contrario, la doctrina de la ascensión significa que Dios sigue siendo humano, es decir, que siendo como uno de nosotros, un carpintero, un renegado, un criminal convicto y ejecutado, se sienta ahora «a la diestra» de Dios Padre.

La encarnación permite que cuando miramos a Dios no veamos en él a alguien extraño a nosotros, sino a uno de los nuestros. De esta forma, el exiliado cuyo cuerpo era mutilado en las minas del Ponto, así como hoy el obrero agrícola cuyo cuerpo es despedazado en los campos de California pueden ahora mirar a la deidad y decir: «Uno de los nuestros reina en gloria. Así como él reina, nosotros también reinaremos.» Aquí nos conviene recordar el pasaje del libro de Hebreos donde el autor comenta que aunque todavía no reinamos como se supone que reinemos, «vemos a Jesús, que fue hecho un poco inferior a los ángeles, coronado de honra y gloria por haber padecido la muerte. Así, por la gracia de Dios, la muerte que él sufrió resulta en beneficio de todos» (Heb 2.9). La vida permanente del Crucificado, quien ahora reina en poder y gloria, es la promesa y el llamado a todos los que, como él, padecen opresión y sufrimientos.

El partido niceno se impuso finalmente sobre el arrianismo y el patripasionismo. El triunfo niceno sobre el arrianismo ha hecho posible el que aun en medio de la iglesia mayoritaria de las edades Media y Moderna se escuche el mensaje de que el Dios minoría se encarnó en un humilde carpintero perteneciente a una nación oprimida. El triunfo sobre el patripasionismo, por otro lado, anunció a los cristianos de todas las edades que el sufrimiento, la opresión y la desesperación no tienen la última palabra, porque detrás del Hijo que sufrió y de la humanidad que, como él, también sufre está la presencia de Aquél que vindica tanto al Hijo como a la humanidad. Que a la diestra del Padre está el Cordero de Dios representando a todos aquellos que son como corderos llevados al matadero. Pero la profundidad de la declaración nicena se vio opacada por el hecho de que la iglesia cristiana pasó a ser un cuerpo poderoso que pronto llegaría a ser mayoritario en el mundo. Como la iglesia se había hecho poderosa —o al menos sus líderes lo eran—, tendía a identificar en consecuencia a su Dios con el Dios de los poderosos, es decir, con el Dios impasible, quien en virtud de su inactividad tendía a sacralizar el statu quo. Es posible que en el día de hoy se afirme la separación formal entre iglesia y estado; pero lo que ocurre en la práctica es que la iglesia no se ha separado de las estructuras de injusticias y privilegios que a menudo sostienen al estado.

Los hispanos en Estados Unidos estamos cada vez más conscientes de esta situación. Por esta causa, algunos abandonan la fe cristiana acusándola de opresiva o, cuando menos, de inoperante en situaciones de opresión. No existe ninguna duda de que la fe en un «primer motor inamovible» o en un «Ser Supremo» es la mejor forma de sacralizar la opresión en general. Por otro lado, la fe en el Dios de la Biblia, la fe en el Crucificado que es «consubstancial con el Padre» tiene un po-

der enorme, que es a la vez liberador y subversivo. Esta es la
fe en un Dios que se une a los desposeídos en sus luchas y les
acompaña en la marcha hacia la liberación, victoria y nueva
vida. Esta es la fe en un Dios minoría y de parte de las minorías, y que por tanto habla nuestro idioma español. Cuando
los hispanos queremos que se nos hable claro, le pedimos a la
otra persona que por favor «hable en cristiano». Esto es obviamente un reflejo de los siete siglos de confrontación entre los
cristianos españoles y los moros musulmanes de la Península
Ibérica. Y es también una reminiscencia de la época en que
quienes hablaban el idioma español presumían ser los más
poderosos de la tierra, y por tanto daban por sentado —como
lo hacen los angloamericanos hoy— que también Dios hablaba su idioma. Ahora, en la situación en la que vivimos hoy
en Estados Unidos, esa frase debe tomarse como un signo de
que Dios, en realidad, habla español. No en el sentido de que
prefiera ese idioma sobre los demás, sino en el sentido bíblico
de que Dios tiene especial preferencia por el idioma de los
oprimidos, sea éste el español de los hispanos, o el inglés de
los afroamericanos. Lo más probable es que en el Perú Dios
prefiera hablar el idioma de los quechuas antes que el español. El Dios que prefirió encarnarse en un humilde carpintero
de Galilea se presenta principalmente, aquí en Estados Unidos, no en los ventanales de las catedrales de los suburbios,
sino en las plantaciones de uvas y lechugas, donde al traba-
jador se le niega el derecho a formar sindicatos; en medio del
sufrimiento de los puertorriqueños que habitan los proyectos
en Chicago; en el dolor de aquellos a quienes se les dice de
mil maneras distintas que sus idiomas y culturas son inferiores, y que por lo tanto deben abandonarlos para asimilarse a
la cultura mayoritaria, lo que es otra manera velada de decir
que deben acostumbrarse a la idea de que siempre serán infe-

riores. Tal maldad es oída y comprendida por Dios. Sabemos que eso es así, porque Aquél que es «Dios de Dios, luz de luz, verdadero Dios de verdadero Dios», fue crucificado, muerto y sepultado, y al tercer día resucitó de los muertos, ascendió al cielo donde ejerce el poder, y desde allí vendrá otra vez para juzgar a débiles y poderosos.

Una doctrina «económica» de la Trinidad

En el lenguaje teológico tradicional se hace diferencia entre una doctrina «económica» y una doctrina «inmanente» (o «esencial») de la Trinidad. No todos concuerdan con el significado de esos términos, pero se emplean para distinguir entre un concepto de la Trinidad que afirma que la misma es «esencial» a Dios, mientras que la otra considera que la Trinidad sólo se refiere a la revelación y relación de Dios con la creación. Este problema, tal como ha sido planteado, parece no tener sentido alguno, pues no hay manera en que podamos conocer cómo es Dios en sí mismo. ¿Cómo entonces podría hablarse de una Trinidad «esencial» separada de la revelación y relación de Dios con el mundo?

Quizás, sin embargo, exista otra posibilidad que nos permita hablar de una doctrina «económica» de la Trinidad. En este sentido, la pregunta que deberíamos hacernos es: ¿Cuáles son las consecuencias socioeconómicas de la doctrina de la Trinidad? De esto se desprende con claridad que si de tal formulación han de surgir consecuencias prácticas, entonces, lejos de ser producto de las especulaciones de teólogos que no tienen nada mejor que hacer, tal doctrina es una formulación de Dios que tiene consecuencias drásticas sobre la manera en que se organizan la sociedad y las relaciones económicas dentro de ella.

Cuando al inicio de mis estudios abordé la historia de los debates trinitarios, tuve serias dificultades para comprender su significado. A mis profesores, la mayor parte de los cuales habían sido educados en la tradición de Harnack, les atraían muy poco las interminables discusiones sobre si el Hijo era o no consubstancial con el Padre. Tanto para ellos como para mí, los complicados debates resultaban ser otra demostración de la inclinación que tiene la psiquis humana hacia el fanatismo. Hasta nos causaban risa comentarios como el de Gregorio Nacianceno. Uno podía siquiera llevar a componer los zapatos sin entrar en una discusión acerca de cómo fue engendrado el Hijo. Sin embargo, con el paso de los años he llegado a cuestionar el sentido de superioridad que exhibe la academia de los siglos modernos. Ahora me parece que la razón por la que el debate nos parecía tan frívolo es que no comprendíamos algunas de sus dimensiones. Fiel a la tradición académica recibida, busqué comprender de manera más profunda los problemas teológicos involucrados en la cuestión. Tal estudio me hizo apreciar mejor la esencia de los debates, en especial los planteamientos de Atanasio sobre la soteriología en relación con la doctrina de la Trinidad. Aun así, me parecía que algo faltaba.

En un proyecto completamente diferente, comencé a estudiar las enseñanzas socioeconómicas de los grandes teólogos del siglo cuarto, quienes eran también los campeones de la teología trinitaria. Me encontré entonces con algunas cosas sorprendentes: comparando la doctrina cristiana con las de los filósofos, Ambrosio dice:

> Ellos (los filósofos) consideran materia de justicia el que se considere la propiedad pública, o común, como cosa pública, y la privada como privada. Pero esto no concuerda con lo que es natural, pues la naturaleza

produce todo lo que existe para el uso común de las gentes. Dios ha ordenado que las cosas se produzcan, de modo que haya alimento para todos en común, y que la tierra sea posesión de todos. De manera que la naturaleza ha producido un derecho común a todos, y es sólo la avaricia la que ha conferido el ejercicio de ese derecho a unos pocos.[11]

Jerónimo:

Concuerdo con el dicho popular de que uno se hace rico, ya sea por la propia injusticia o ya heredando a otra persona injusta.[12]

Basilio el Grande, en el oriente:

Los animales son fértiles en la juventud, pero luego esa condición cesa. El capital produce intereses desde el principio y luego se multiplica hasta el infinito. Esas ganancias deberían cesar cuando el capital alcanza proporciones normales. Ahora, el dinero que produce la avaricia nunca deja de crecer.[13]

Finalmente, Gregorio de Nacianzo:

Con la aparición del pecado en el mundo, la avaricia destruyó la nobleza original de la creación, e hizo de la ley la servidora de los poderosos. Pero no mires tú hacia la igualdad original, ni a las distinciones posteriores; tampoco mires la ley de los poderosos. Mira, más bien, hacia la ley del Creador.[14]

---

[11] *Sobre los deberes de los ministros*, 28. 132.

[12] *Ep.* 120.

[13] *Hom.* 2.3.

[14] *Hom.* 14.26. Estas son sólo algunas entre cientos de citas que pueden aportarse. He incluido muchas más en *Faith and Wealth: A History of Early*

La cantidad de citas que sobre este asunto se podría aportar es interminable. Pero por ahora baste hacer el siguiente
interrogante: ¿Sería posible encontrar un punto de contacto
entre la doctrina socioeconómica de estos autores, por radical
que sea, y su firme defensa de la doctrina de la Trinidad?

La respuesta es obvia. La relación comunal que existe en la
Trinidad es el modelo y objetivo de toda la creación. Constituye por lo tanto el ejemplo a seguir por todos los creyentes en
la Trinidad. En su defensa de la *Ujamaa*, el modelo socialista
de Tanzania, el obispo católico romano Christopher Mwoleka argumenta de manera muy sucinta que los cristianos han
incurrido en un error grave al abordar el asunto de la Trinidad como si fuera un rompecabezas, en vez de verlo como un
ejemplo a ser imitado.

Aunque el obispo Mwoleka no lo dice expresamente, se
ve con claridad que la manera en que se ha entendido la Trinidad y que él critica les ha sido de utilidad a muchos teólogos y clérigos para conservar el poder. El resultado ha sido
que la fe le fue arrebatada a la feligresía en general, dando
lugar a que la religiosidad popular se dé a la práctica de lo
que otros cristianos supuestamente más «sofisticados» llaman
«superstición».[15] No hay dudas de que cuando la Trinidad se

---

Christian Ideas on the Origin, Significance and Use of Money, Harper & Row,
San Francisco, 1990.

[15] Esto fue apuntado ya por Adolfo Harnack, cuyos comentarios sobre la
fórmula nicena son muy pertinentes: «La victoria del Credo Niceno re-
presentó en realidad la victoria de los sacerdotes sobre el pueblo cristiano.
Para los que no eran teólogos, la doctrina del Logos se convirtió en algo
incomprensible ... El concepto de que el cristianismo es la revelación de
algo incomprensible se le hizo más y más común a la gente ... Resulta
alarmante la poca atención que se le da al pueblo cristiano en la literatura
eclesiástica del siglo cuarto y aun después ... El pueblo debía solo creer la
fe, pero esto resultaba en que tampoco vivía en la fe, sino en una especie

entiende de esa manera adquiere cualidades opresivas, las cuales han sido utilizadas a través de los siglos para avasallar con un halo de misterio a sectores de la feligresía. Este supuesto misterio, entendido sólo por el clero, ha sido utilizado cuando se ha querido condenar como herejes a otros clérigos, aun cuando las verdaderas razones para esas condenas fueron diferentes.[16] Es por eso que el obispo Mwoleka denuncia tal uso de la doctrina de la Trinidad diciendo que:

> Dios no nos da misterios para la especulación, sino ejemplos para la imitación. Me he consagrado al ideal de la *Ujamaa* porque de una manera eminentemente práctica invita a todos a imitar lo que es la esencia de la Trinidad, el compartir. Las tres Divinas Personas lo comparten todo, de tal manera que no existen tres dioses, sino sólo uno. Esa es la razón por la que Cristo ora: «Que todos sean uno como tú y yo somos uno. Yo en ellos y tú en mí, para que sean uno.» Imitar a Dios es lo primero que debimos haber hecho al creer en este misterio. Cualquier otra pregunta sobraría, pues de se-

---

de cristianismo de segunda categoría consistente en leyendas de los santos, apocalipsis e imágenes para la adoración.» *History of Dogma*, vol. 4, Racel & Racel, Nueva York, 1958, pp. 106-7.

[16] El trágico informe, lleno de simplicidad, de Eldridge Cleaver, quien después llegó a ser un líder radical entre los afroamericanos, no necesita comentario alguno: «Todo terminó aquel día cuando en la clase de catecúmenos el sacerdote preguntó si alguno había comprendido el misterio de la Santísima Trinidad. Yo había estado estudiando mis lecciones con toda diligencia y sabía a conciencia todo lo que se me había enseñado. Levanté la mano, mientras mi corazón palpitaba de orgullo por la oportunidad de demostrar lo que sabía de la Palabra. Para aturdimiento y gran vergüenza mía, como el estallido de un trueno el sacerdote gritó que yo mentía, porque ni siquiera el Papa entendía lo que era la Santísima Trinidad. Que ¿por qué creía yo que se llamaba el *misterio* de la Santísima Trinidad? Aturdido por las risas y gritos de mis compañeros, me percaté rápidamente de que había sido manipulado.» *Soul on Ice*, Dell, Nueva York, 1968, p. 31.

guro que lo entenderíamos todo. Dios no se ha revelado para dar lugar a la especulación, ni nos ha provisto
de enigmas para revolver. El nos ha dado la vida. Es
como si nos dijera: «El verdadero significado de la vida
es que vivas como yo lo hago.» ¿No es acaso la razón
por la que Dios reveló este misterio el enfatizar que la
vida no es verdadera vida a menos que sea una vida en
comunidad, o compartida?[17]

De ser esto así, la relación entre los radicales conceptos
socio-económicos citados más arriba y la doctrina de la Trinidad resulta muy obvia, así como obvia resulta la oposición
de muchos a la doctrina trinitaria formulada en el siglo 4 por
personas en posiciones privilegiadas. Lo que se desprende de
todo esto es que si la Trinidad es la doctrina del Dios cuya
vida se vive en comunidad, todos los que afirman creer en tal
Dios tendrían que vivir de manera semejante. Sabemos con
certeza que, desde muy temprano en la vida de la iglesia, la
idea de comunidad o de compartir fue central a la doctrina
de la Trinidad. Tertuliano fue el primero en utilizar el término *Trinidad*, así como la fórmula que se haría oficial eventualmente: «una substancia y tres personas». Afirmaba que lo
que hacía que estas tres personas fueran una era el hecho de
que compartían la misma substancia. Los ejemplos que usaba
para sustentar esta afirmación los extraía de casos donde más
de una persona compartían la posesión de una propiedad.[18]
Algunos teólogos han criticado a Tertuliano por utilizar términos y ejemplos de uso legal en vez de usar terminología y
ejemplos de carácter metafísico. Creo que más bien debería
ser alabado por esto, y no criticado.

---

[17] En G. H. Anderson y T. F. Stransky, eds., *Mission Trends No. 3: Third World Theologies*, Paulist Press, Nueva York, 1976, pp. 151-2.

[18] *Adv. Prax.* 4.

Por cierto que Tertuliano fue el teólogo que introdujo en
el mundo teológico latino el término griego *oikonomía,* diciendo que «aun cuando él es el único Dios, debemos creer en
él dentro de su propia *oikonomía».*[19] Este término fue usado
más tarde por algunos teólogos para referirse a una Trinidad
«no esencial». Sin embargo, en su contexto original, el término
significa «administración, gerencia interna, o un determina-
do arreglo». La implicación que esto tiene para Tertuliano es
que el Dios único existe de acuerdo a un orden interno. Dicho
orden interno se explica mejor en términos de una *substancia*
que es compartida por tres personas. En la terminología legal
de esa época, «substancia» se entendía como «propiedad, posesión». De aquí que lo que para Tertuliano significa *oikonomía*
no dista mucho de mi concepto «económico» de la doctrina de
la Trinidad. Es además muy importante la relevancia que le
daba Tertuliano al concepto de compartir entre los cristianos,
pues según él ellos son «de una misma alma y un mismo pensamiento, que no vacilan en compartir entre ellos sus posesiones materiales; pues todas las cosas, con la excepción de las
esposas, son compartidas y tenidas en común entre ellos».[20]

La doctrina de la Trinidad, una vez que se le despoja del
ropaje metafísico en que ha sido cubierta, afirma la creencia
en un Dios en cuya esencia está el compartirlo todo. La primera Epístola de Juan dice que «Dios es amor». Este amor
de Dios no es sólo algo que debemos recibir o algo digno de
nuestra alabanza, sino algo que debemos imitar, pues la vida
que se vive sin amor, siendo que Dios es amor, es una vida sin
Dios. Y si, tal como se ve en la Trinidad, ese amor es compartido, una vida en que no se comparte es una vida sin Dios. Y si

---

[19] *Ibid.,* 3.

[20] *Apol.* 39.

las tres divinas personas tienen igual poder en este compartir de Dios, entonces la vida en que no se comparte el poder es también una vida sin Dios.

Las consecuencias del compartir de Dios van más allá del plano personal, de modo que todos aquellos que afirman creer en un Dios que es amor, en un Dios trino, deben también afirmar que la sociedad −o la iglesia− donde tal amor no se manifiesta es también una sociedad −o una iglesia− sin Dios.

Como hispanos en esta sociedad debemos dejar de lado las interpretaciones puramente metafísicas de la doctrina de la Trinidad y ocuparnos de descubrir, imitar y aplicar en nuestra sociedad y vida eclesiástica el amor del Trino Dios. Y tal como lo hemos sido en tantos otros aspectos, nos ofrecemos como pueblo que es «puente» para que nuestros hermanos y hermanas de la raza blanca en esta comunidad noratlántica comprendan el significado de esta doctrina para la vida y fe de la iglesia toda.

8

CREADOR DEL CIELO Y DE LA TIERRA

El mismo Credo Apostólico que afirma creer en un Dios Padre de cuyo gobierno nada escapa —*pantocrátor*— afirma también que ese Dios es el creador de los cielos y la tierra. Es muy importante que exploremos el significado de esa declaración, ya que nuestra existencia tiene lugar dentro de la creación y es parte de ella.

Y vio Dios que era bueno

La primera consecuencia obvia de la doctrina de la creación es que todo lo creado tiene un valor positivo. La iglesia primitiva insistía en que Dios es «todopoderoso» —o «todogobernante»— y «creador de los cielos y la tierra» porque algunos restaban valor a tal afirmación. La iglesia aclaraba que en modo alguno eran los cielos y la tierra el producto de algún error o pecado. Son, por el contrario, el resultado de la voluntad de Dios. El libro del Génesis lo reitera una y otra vez: cuando Dios creó todas las cosas, «vio Dios que era bueno».

La doctrina de la creación es en primera instancia la afirmación del valor positivo del mundo y de todo lo creado, y en segundo lugar el rechazo de toda doctrina o teoría que niegue o tienda a minimizar tal valor. Como ocurre en otros sistemas religiosos, muchos cristianos tienden a refugiarse en un tipo de religión ultramundano, en oposición a la doctrina de la creación que afirma que *este* mundo en que vivimos es el que Dios creó y vio que era bueno. No hay dudas de que tenemos que admitir —y también denunciar— que este mundo está plagado de pecado. Pero el hecho es que no tenemos otro mundo ni otro cosmos que no sean estos cielos y esta tierra que Dios ha creado. Querer abandonar nuestra realidad por cualquier otra es no sólo un error, sino una imposibilidad.

El cosmos creado por Dios, del cual somos parte y en el que nos movemos y existimos, está formado por «los cielos y la tierra». Esto se interpreta con mucha frecuencia en el sentido de que más allá de esta «tierra», plagada de pecado y de realidades temporales, existe un lugar eterno, o «cielo», colmado de realidades puras e imperecederas. Sobre esa base opera el escapismo cristiano, que invita a huir de las cuestiones terrenas y a buscar las recompensas celestiales. Lo que a veces no percibimos es que, según la Biblia, tanto el cielo como la tierra son realidades temporales, que no sólo están coloreadas por la realidad del pecado, sino que un día serán deshechas y pasarán. Así es que la creencia en que acá abajo estamos en un transitorio «valle de lágrimas» y que el cielo «allá arriba» es un lugar de puras bienaventuranzas no tiene bases bíblicas. En Lucas 10.18, Jesús les dice a sus discípulos que al tiempo de su ministerio, y probablemente como resultado del mismo, él vio a Satanás caer del cielo. En Apocalipsis 12, el «gran dragón escarlata» estaba en el cielo, y la razón por la que hay tantos ayes sobre la tierra es que el dragón ha sido expulsado del cielo, donde estaba su residencia. Al final de ese libro se nos promete que no sólo habrá la creación de una nueva tierra, sino también de un nuevo cielo.

El afirmar que Dios es el creador de los cielos y la tierra implica también que nosotros somos parte de esa creación. El significado de nuestra humanidad será explorado con más detenimiento en el próximo capítulo. Sin embargo, es muy importante que recordemos que no existimos sino dentro de los confines de la creación, que no podemos escapar del orden de lo creado, pues no somos otra cosa sino criaturas. Es en este cosmos, compuesto por cielos y tierra, donde hemos de vivir y servir a Dios.

Dios no es lo mismo que la creación

La segunda consecuencia que se desprende de la doctrina de la creación es que Dios es una realidad diferente a lo creado. Ni Dios fluye naturalmente de la creación, ni la creación nos conduce simple y directamente a Dios. Esto es lo que afirmaban los teólogos del siglo cuarto al decir que la creación no pertenece a la «esencia», sino a la «voluntad» de Dios. En ese tiempo, esa afirmación cobraba gran importancia, pues era la manera de afirmar que el Verbo de Dios, la segunda persona de la Trinidad, era totalmente divina. Se afirmaba que el cosmos era «hecho», «creado», que era producto de la «voluntad» de Dios; mientras que por otro lado el Verbo es «engendrado, no creado» y «de la misma esencia del Padre» —frases ambas que aparecen en el Credo Niceno. La creación, pues, no fluye de la substancia de Dios, como las series de emanaciones que postulaban los neoplatónicos.

De ser la creación el resultado de una serie de emanaciones que proceden de la substancia divina, esas emanaciones estarían organizadas jerárquicamente, de modo que unas estarían más próximas a Dios que otras. Pero como la creación no consiste en emanaciones de la substancia divina, sino que es el producto de la voluntad de Dios, las criaturas no ocupan un orden en el que estén más cerca o más lejos de Dios. Ontológicamente, todo ser creado dista infinitamente del ser de Dios.

Durante la Edad Media prevaleció el concepto de que existía un orden jerárquico que podía ser escalado por el ser hasta llegar a Dios. Gracias, al menos en parte, a la influencia del Pseudo-Dionisio, considerado discípulo directo del apóstol Pablo, toda la realidad se veía como una serie de jerarquías ordenadas, por las que al subir se alcanzaba la meta de la vida cristiana. Sobre esta premisa se construyeron muchos de los grandes clásicos del misticismo cristiano, como el *Itinerarium mentis in Deum* de Buenaventura. Tal concepto del cosmos y su ordenamiento está más próximo a la teoría de las emanaciones del neoplatonismo que a la doctrina cristiana de la creación.

Lo que esto significa es que Dios no puede ser alcanzado a través del escalamiento hacia las regiones más altas de la creación. Nótese que a los baales del Antiguo Testamento sólo se les podía encontrar en los montes y collados altos, mientras que el Dios de Israel no sólo hablaba desde del Monte Sinaí, sino también desde las llanuras de Egipto y Babilonia. Así, lo que es cierto en términos geográficos lo es también en términos de posturas ontológicas y sociales.

Cuando consideramos los asuntos del orden social, el Dios de Israel habla tanto al rey David y al rey Salomón en sus tronos como al profeta Amós entre los pastores de Tecoa. Dios es soberano sobre su creación, y en modo alguno puede uno acercarse a él por más que avance en el escalamiento de un orden jerárquico, sea éste geográfico, ontológico, eclesiástico o sociopolítico.

Esta situación no se les escapa a los hispanos. En toda sociedad humana existe la creencia de que los más «encumbrados y poderosos» están más cerca de Dios. Muchas veces, ni aun la iglesia escapa a esta tendencia. En la denominación a la que pertenezco, existe la extraña práctica de poner a las iglesias el nombre de grandes donantes, práctica ésta que habría escandalizado a los cristianos de siglos pasados. (Siendo esto así, muy pocas o ninguna iglesia llevaría el nombre de hispanos u otras minorías.) Y es que el poder y el prestigio de la sociedad en general se traduce finalmente en poder y prestigio dentro de las denominaciones cristianas, como si la posesión de poder y prestigio social garantizaran una relación más estrecha con Dios. Lo que ocurre hoy es que, aunque no elevamos nuestro ojos a los lugares altos donde los baales eran adorados, somos inducidos e invitados, hasta por las mismas iglesias, a levantar nuestros ojos a los logros, informes e historias de los éxitos por los cuales los baales de hoy reciben culto.

La creación, por otro lado, no es el orden jerárquico que nos conduce hacia lo divino, como la escalera que nos lleva hacia la buhardilla, sino que en el acto mismo de la creación Dios mantiene su soberanía. El Dios soberano que escoge no hablar en medio del viento recio, sino en el silbo apacible, que elige no hablar al rey Jeroboam, sino al profeta Amós en medio de los pastores de Tecoa, es el Dios que nos habla en la persona del carpintero de Galilea, quien a su vez afirma que «quien me ha visto a mí ha visto al Padre», y de cuyos labios salen también las palabras sorprendentemente antijerárquicas: «Los primeros serán últimos» y «el que sirva, entre ustedes, ese será el mayor.»

El afirmar que la creación es buena significa que no podemos ni debemos tratar de escapar de ella. Afirmar que la creación no es Dios es decir que no tiene carácter final o último.

Los cielos y la tierra

«Los cielos y la tierra», afirma el Credo. Tal declaración puede interpretarse de diversas maneras. Una de ellas es que se refiere a la parte física del planeta (tierra) y a todo lo que lo rodea (cielos). Empero la declaración del Credo implica otra dimensión que se hace necesario destacar. Hablar de «los cielos y la tierra» significa que toda esta tierra física que vemos —el planeta Tierra, el sistema solar, las galaxias y todo cuanto se encuentra en el espacio— no abarca la totalidad de la creación. Existen también «los cielos», pero no en el sentido de un «lugar allá arriba». Los «cielos» son más bien todas la dimensiones de la creación que la mente humana no puede alcanzar ni concebir.[1]

En este punto debemos evitar dos posiciones que parecen estar diametralmente opuestas, pero que en ocasiones conducen a las mismas consecuencias prácticas. La primera de ellas es la posición escapista o espiritualizante que ya hemos discutido anteriormente. Conforme a esa posición existen dos lugares, que son los cielos y la tierra. La tierra es el espacio físico donde vivimos en cuerpo, donde suceden cosas que sólo adquieren significado en tanto contribuyan a abrir o cerrar

---

[1] «El cielo es la creación inconcebible para el humano; la tierra es la creación concebible para él ... Este "más allá" separado del humano y que le confronta, algunas veces de manera amenazadora, otras veces de manera gloriosa, no debe sin embargo confundirse con Dios. Cuando alcanzamos lo que para nosotros es inconcebible, no hemos alcanzado a Dios, sino al cielo. Si a esa realidad inconcebible queremos llamarle Dios, lo que hacemos es deificar una criatura, haciendo lo mismo que hacía el llamado "hombre primitivo" cuando adoraba al sol. Muchos filósofos han caído en tal deificación de la criatura. Las fronteras de lo que podemos concebir no son el límite de lo que nos separa de Dios, sino la frontera que el Credo define como el límite entre el cielo y la tierra.» Karl Barth, *Dogmatics in Outline*, Harper & Row Brothers, Nueva York, 1959, pp. 61-62.

las puertas de los cielos. Para la misma posición, el cielo es el lugar donde habitan los espíritus, donde las almas vivirán eternamente siempre y cuando hayan ganado tal privilegio mientras vivían en la tierra. Tal posición, como lo hemos dicho anteriormente, tiene muy pocas bases bíblicas.

La segunda posición afirma que no existe otra cosa que la realidad física, empírica y cuantificable del mundo; que a lo que el Credo se refiere es simplemente a lo que en términos más modernos llamaríamos nuestro planeta y el espacio que lo rodea. No hay dudas de que cuando la Biblia se refiere al «cielo» casi siempre implica algo más que el firmamento. Al hablar del «cielo», el alcance es mucho mayor que el que concedemos normalmente. El cielo es un orden de la realidad totalmente vedado al conocimiento humano, que nos recuerda constantemente que el mundo empírico, predecible y mesurable no constituye la totalidad de la creación. El Dios *pantocrátor* gobierna no sólo sobre la tierra, sino también en el cielo. Así es que la lucha contra los poderes del pecado ocurre no sólo en la tierra, sino también en los cielos.

Lo que esto implica es que la «tierra» que podemos ver, medir, comprender y gobernar es sólo una parte de la creación de Dios, y que por encima, debajo, alrededor y más allá de ella existen «los cielos». Esto resulta ser de importancia capital para la teología y piedad de los hispanos, porque en estos días escuchamos mucho acerca del concepto «moderno» del «universo cerrado». Se nos dice constantemente que la visión mecanicista del universo parece funcionar y que como no podemos pensar sino en términos de causa y efecto, sería insensato hablar de la intervención de Dios en la historia. Se nos dice que el universo funciona en base a leyes inalterables que no podemos cambiar o suspender y que por lo tanto el universo está cerrado a toda intervención divina. Rudolf Bultmann ha dicho: «Es imposible utilizar la luz eléctrica, las ondas radiales, así como subscribirnos a los avances médicos modernos y a la vez creer en el mundo de milagros y espíritus del Nuevo Testamento.»[2] Pero el caso es que no sólo es posible sino que es bien común, pues en todo el mundo y ciertamente en las comunidades creyentes hispanas se usa no sólo el fluido eléctrico y las ondas radiales, sino también las computadoras y las máquinas impresoras a base de rayos láser para contar las maravillas que Dios ha hecho en las vidas de los creyentes.

¿Constituye esto simplemente el empeño en negar lo que a todo ser pensante le resulta evidente, como Bultmann nos quiere hacer creer? ¿O existe algo más detrás de todo esto? Es dado pensar y sospechar que quienes propugnan la idea de un universo cerrado, cuyo funcionamiento es igual al de una máquina, afirman sencillamente una ideología que sostiene el presente orden de cosas, y con la cual destruyen o al menos mutilan las aspiraciones de aquellos cuya esperanza reside en el cambio. La «razón moderna» impide que pensemos en la intervención divina. Cabe aquí preguntarnos: ¿Quién establece lo que es la «modernidad»? ¿Y quién define lo que es la «razón»?

El hecho es que la formulación de la filosofía kantiana nos ha hecho muy conscientes del grado en que nuestra razón impone sus límites a la realidad. Así es que afirmamos, por ejemplo, que la causalidad es una «ley natural» cuando es una ley de nuestra propia razón. Se ha hecho muy evidente después de Freud, Marx y sus sucesores que la «razón» no funciona en un vacío, sino que está condicionada por factores históricos,

---

[2] Rudolf Bultmann, *Kerygma and Myth*, Harper & Row, Nueva York, 1961, p. 5.

psicológicos, socioeconómicos y de otras índoles.[3] También hemos sido avisados que la misma razón puede ocultar esos factores de sí misma y convencerse de que sus conclusiones son el resultado de la «razón pura». De modo que cuando la «razón» requiere que creamos en un «universo cerrado» que no funciona sino a base de leyes mecánicas, uno empieza a sospechar si esa definición de la «razón» no es acaso formulada para la defensa del statu quo y como un medio para frustrar las esperanzas de quienes sólo cuentan con la intervención divina.

A quienes profesan el concepto de un universo cerrado respondemos que Dios es el creador de cielos y tierra, y que la tierra que puede ser abarcada y manipulada para sus propios fines por la mente humana es sólo una parte del todo. Una parte, por cierto, cuya naturaleza se malinterpreta cuando se le confunde con el todo.

En conclusión, cuando afirmamos que Dios es el creador de la tierra *y el cielo*, lo que decimos es que cuando consideramos todo cuanto conocemos, y hasta buena parte de lo que desconocemos, no estamos hablando de la totalidad de la creación. Como una realidad que podemos manejar y comprender, la «tierra» es sólo parte de todo lo creado. Los que ejercen el poder sobre la naturaleza y la historia lo seguirán haciendo conforme a su conocimiento y control de los mecanismos propios para ello. Pero eso no es todo, pues existen también los mecanismos del *cielo*, que son las dimensiones misteriosas e incontrolables de la creación.

---

[3] Casi desde los inicios de mis estudios teológicos he estado bajo la influencia de José Ortega y Gasset y su comprensión de la razón. De gran interés es su artículo «Ni vitalismo ni racionalismo», publicado en la Revista de Occidente, de octubre de 1924 y reproducido en José Ortega y Gasset, *Obras Completas*, vol. 3, Revista de Occidente, Madrid, 1947, pp. 270-80.

Por otro lado, cuando afirmamos que Dios es el creador del cielo y la *tierra* estamos diciendo también que el carácter racional y predecible de los procesos de la tierra son también parte de la creación de Dios, y que no podemos servir a Dios sin que esos procesos se utilicen para sus propósitos.

Ambas cosas son muy importantes para la espiritualidad hispana. Con sólo asistir a un culto de adoración o de oración en una iglesia hispana se advierte que para ellos el universo no está cerrado, ya que no se limita sólo a cuestiones «terrenas», sino que se exhibe confianza plena en los asuntos del «cielo». Es cierto que, como muchas veces se nos acusa, algunas veces nos vemos tentados por el deseo de abandonar los asuntos de la «tierra». Pero cuando esto ocurre, la fe acude en socorro nuestro al recordarnos que creemos en «Dios Padre Todopoderoso, creador del cielo y de la tierra».

Creación y evolución

En estos días hay un fiero debate sobre la teoría de la evolución y su relación con la doctrina de la creación. No es esta la oportunidad para entrar en ese debate, pero sí creo que existen dos puntos que requieren clarificación, por cuanto tocan a la teología y a la experiencia hispanas.

El primer punto es que en el debate contemporáneo se reduce la doctrina de la creación a lo que con toda propiedad debería llamarse «los inicios de la creación».[4] Cuando con toda propiedad se comprende, la creación no es algo que ocurrió en el pasado, sean seis mil o seis billones de años atrás, y que ahora constituya una curiosa antigüedad o el objeto de

---

[4] Frase tomada en préstamo de Ireneo, quien al referirse a las historias del Génesis no habla de la «creación», sino del «principio de la creación».

una ortodoxia fanática. La creación tiene que ver tanto con los inicios como con la continuidad de la existencia de los cielos y la tierra. No hemos de suponer que Dios fue el Creador sólo en el inicio de la creación y que luego se dedicara a mantener lo que había creado. La creación subsiste, aun en el día de hoy, porque el Dios que la creó de la nada continúa al presente su obra creadora. Sin la obra creadora y sustentadora de la Palabra de Dios, el cielo y la tierra no podrían subsistir por un instante. En consecuencia, la doctrina de la creación no se limita en modo alguno a una declaración acerca del principio de lo creado, sino que además constituye una afirmación de la realidad y responsabilidad presentes.

El segundo punto que necesitamos aclarar es el significado del término «evolución» y la razón por la que afirmo que mucho de lo que se quiere decir con ese término no es bíblico. El problema con la teoría de la evolución no es que afirma que a Dios le tomó miles de millones de años completar el mundo presente —en realidad, aun después de tantos años, Dios todavía no ha concluido su obra, pues «todavía no se ha manifestado lo que hemos de ser». El verdadero problema de la teoría de la evolución es que en sus versiones más populares afirma que la ley suprema de la creación es la supervivencia de las especies más aptas. Esto es contrario a la Biblia. La ley suprema de la creación es la victoria del amor. No existe un mejor ejemplo de esto que la resurrección de Jesucristo, quien fue destruido como no apto por el más apto imperio de su tiempo, pero que fue levantado con poder de entre los muertos.

Afirmar que la ley suprema de la creación es la supervivencia de los más fuertes o aptos es también afirmar que el proceso mediante el cual los poderosos oprimen y destruyen a los más débiles es parte del proceso de la evolución, por el cual se crea un mundo mejor. Por eso, y no porque se hable de millones de años en vez de siete días, los hispanos tenemos que denunciar esta teoría simplista que se hace pasar por ciencia. La denunciamos porque la evolución ha ido mucho más allá de ser una teoría de las ciencias biológicas para convertirse en una justificación de sistemas políticos y sociales injustos.

9

LA CRIATURA HUMANA

Al igual que cualquier otra doctrina, la antropología cristiana —en términos tradicionales, la doctrina del «hombre»— ha sido usada en formas opresivas. En nuestro intento de teologizar desde una perspectiva hispana, es necesario darle una nueva ojeada a esta doctrina, tanto en su desarrollo histórico como en lo que se refiere a las agendas escondidas a las que tal desarrollo ha servido.

Cuerpo y alma

Al abordar la antropología cristiana, la mayoría de nosotros pensará inmediatamente que el primer punto a considerar es si el ser humano es una combinación de cuerpo y alma. A otros se les ocurrirá pensar que también existe la opción de hablar sobre «cuerpo, alma y espíritu». Así es que el debate fundamental sería si concebimos al ser humano como consistente en dos o tres componentes; o como se diría en términos tradicionales, una antropología «dicotomista» o una antropología «tricotomista». En el canon número once, el Cuarto Concilio de Constantinopla (869-870) rechazó toda antropología «tricotomista».[1] Con base en ese rechazo, así como lo

---

[1] H. Denzinger, *Enchiridon symbolorum definitionum et declarationum de rebus fidei et morum*, 31ª ed., Herder, Roma, 1957, pp. 1665-66.

que parecería un punto eminentemente bíblico, la mayoría de los teólogos ha optado por una antropología dicotomista. En realidad, ambos conceptos pueden reclamar base neotestamentaria, pues en el Nuevo Testamento se habla tanto en términos de cuerpo y alma (Mt 10.28), como de espíritu, alma y cuerpo (1Ts 5.23). Sin embargo, esto es suficiente para alertarnos de que, más allá de cuál haya sido la preferencia de algunos escritores bíblicos, tal debate no es central a la antropología bíblica, ni parece tampoco que el asunto se ha abordado de manera correcta. Parece más bien que, como en el caso de la doctrina de Dios, la doctrina sobre el ser humano se ha formulado en términos ontológicos, cuando la Biblia lo hace de manera diferente. La Biblia no muestra interés alguno en la división del ser humano en cuerpo y alma, o en cuerpo, alma y espíritu como partes constitutivas del mismo, ni en cómo se relacionan entre sí. Lo que sí es importante para el pensamiento bíblico son los propósitos divinos para nuestra vida, y cómo obedecemos a tales propósitos. Como lo ha dicho José Ortega y Gasset, «El ser humano no es una cosa, sino un drama».[2]

Tendríamos que regresar a los primeros siglos de formación de la teología cristiana para comprender por qué el asunto del alma como substancia se hizo tan importante en la iglesia. A los cristianos se los ridiculizaba por ser ignorantes y en particular por su obstinación en preferir la muerte antes que renunciar a su fe. Una de las principales razones para tal firmeza era obviamente la seguridad que tenían de que vivirían de nuevo. Otra razón es que estaban totalmente convencidos de que Cristo sufría juntamente con ellos en su martirio y ali-

---

[2] José Ortega y Gasset, *Obras Completas*, vol. 6, Revista de Occidente, Madrid, 1947, p. 32.

viaba sus dolores —aunque esta última razón es ajena a lo
que ahora tratamos. Como la insistencia en la vida después
de la muerte les parecía una quimera a muchos paganos, tal
convencimiento se convertía en objeto de burla y de ridículo.
Los críticos de los cristianos preguntaban: ¿Por qué abandonar esta vida, que ya conocemos, por una vida futura incierta?

Para responder a tales preguntas los cristianos recurrían
a la tradición filosófica griega, ya que la vida después de la
muerte había sido un tema tratado por respetados exponentes
de esa tradición. Tanto la postura de Sócrates respecto de sus
acusadores y de la cicuta que le obligaban a tomar como la
tranquilidad con que enfrentó la muerte fueron utilizadas por
los cristianos como prueba de que el más sabio de los filósofos
concordaba con ellos.

De nuevo se nos presenta el caso de que tales recursos apologéticos pueden convertirse en vía de doble tráfico y que lo
que empezó siendo un argumento para convencer a los no
creyentes llegó a convertirse en parte de una doctrina cristiana
aceptada en la iglesia. En consecuencia, aunque los cristianos
hablaban todavía de la resurrección del cuerpo, lo cual desde
el principio había sido parte de sus creencias, ahora empeza-
ban a pensar acerca de la vida futura en términos de la inmortalidad del alma.[3] El hecho es que la Biblia en modo alguno se
refiere a la inmortalidad del alma. Al contrario, Jesús habla
de aquel que puede «matar el alma» (Mt 10.28). En la mayor
parte de los casos, la Biblia se refiere al término «alma» para
hablar de la totalidad del ser, sin ninguna intención de distin-
guirla del cuerpo o de entrar en discusión sobre la manera en
que diferentes partes constituyen al ser humano. Así es que

---

[3] Un breve ensayo sobre este tema que se ha convertido en un clásico es
Oscar Cullmann, *La inmortalidad del alma*, IV, Studium, Madrid, 1970.

el salmista habla tanto del «alma» como de los «huesos» en referencia al ser:

> Así mi alma se alegrará en el SEÑOR
> y se deleitará en su salvación;
> así todo mi ser exclamará: «¿Quién como tú, SEÑOR?
> Tú libras de los poderosos a los pobres;
> a los pobres y necesitados libras de aquellos que los explotan.»
>
> Salmo 35.9-10

La situación es bien clara en el Nuevo Testamento, donde en algunos casos se nos dice que Jesús se dio «a sí mismo» por nosotros (Gál 1.4; Ef 5.2, 25), mientras que en otros se nos dice que dio su «alma» (Jn 10.11; Mt 20.28; en estos dos pasajes, el texto griego dice literalmente «alma», pero los traductores de la *Versión Reina-Valera Revisada de 1995*, con razón lo traducen como «vida»), y aun en otros textos se dice que dio su «cuerpo» (Ro 7.4; Heb 10.10; también ocurre en los pasajes sobre la institución de la Cena del Señor). Lo que se indica claramente es que el alma y el cuerpo no son partes diferentes de la persona, sino la misma persona vista desde perspectivas diferentes. El ser humano no consiste en un alma que asume un cuerpo, ni un cuerpo al que se le añade un alma, sino en un solo ser que es a la vez cuerpo y alma. Karl Barth lo ha dicho así:

> La mejor manera de librarnos de prejuicios, abstracciones y parcialidades es partir de la realidad concreta en la que el hombre ni carece de diferenciaciones internas sobre cuerpo y alma, ni consiste sólo de alma o sólo de cuerpo, ni es tampoco una asociación o combinación de ambos, sino que es total y simultáneamente alma y cuerpo, siendo en todo tiempo y relación totalmente anímico, y corpóreo en toda relación y tiempo. No podemos dejar de ver ambas realidades, porque la uni-

dad de cuerpo y alma no consiste en su identidad o intercambio. Otra vez digo que no podemos dejar de ver ambos, sino que hay que verlos juntos, porque la unidad de cuerpo y alma no consiste en la unión de dos componentes que puedan ser vistos y descritos como cosas separadas.[4]

La Biblia no habla del ser humano como de un ente dividido en dos «partes» o «substancias». Más bien habla de una sola entidad que no puede concebirse en términos totalmente materialistas ni puramente espiritualistas. Todo el ser humano es a la vez totalmente alma y cuerpo. Así como un alma desencarnada no es un ser humano, tampoco lo es un cuerpo «desalmado» —es decir, sin alma.

En cualquier caso, lo que resulta de todo esto es que, sea que se hable de dos, tres, o un solo componente en el ser humano, tal no es el interés principal de la Biblia al hablar sobre esta criatura, como tampoco lo es la «salvación».

También resulta claro que el concepto del alma como el verdadero ser de la persona, que vive de manera interina en el cuerpo, no tiene base bíblica alguna. La misma doctrina de la inmortalidad del alma, que tantas veces ha pasado por ser parte de la ortodoxia cristiana, no es más bíblica que las doctrinas de la preexistencia y la transmigración de las almas. De hecho, estos tres aspectos del concepto del alma —preexistencia, inmortalidad y transmigración—, han estado conectados entre sí en sentido histórico y lógico. Por ello resulta extraño el que haya habido tantos cristianos que aceptan la inmortalidad a la vez que, con razón, rechazan los otros dos.

---

[4] Karl Barth, *Church Dogmatics*, T & T Clark, Edimburgo; 1936, III/2, p. 372.

Lo que sí es importante para nuestra discusión es que la idea según la cual el ser humano consiste en dos o tres partes tiene implicaciones sociopolíticas, pues se usa para justificar la opresión. Una vez que se divide la naturaleza humana en dos, una física y la otra psíquica, se procede a afirmar que el elemento superior en nuestra vida es el psíquico. De aquí que se implique que el elemento inferior es malo o representa la parte de menor significado en la persona. Así es que se pasa de la división de la persona a la jerarquización de dos substancias. Este concepto jerárquico en la relación cuerpoalma ha calado de tal modo en nuestra comprensión de la naturaleza humana que aun Karl Barth, cuidadoso como es en rechazar la dicotomía que casi siempre acompaña a este tema, insiste en la subordinación del cuerpo al alma. Sobre esto declara:

> ....que ésta (la criatura humana) no es un caos, sino un cosmos en el que gobierna un Logos; que por un lado existe control, es decir, el control del alma, y por el otro lado, hay servicio, es decir, el servicio del cuerpo. Siempre que esto ocurra, el humano es verdadero humano, en unidad y diferencia entre su alma y su cuerpo.[5]

Con base en esta comprensión jerárquica de la naturaleza humana, la iglesia medieval exigió tener mayor autoridad que el estado. Nótese cómo Inocencio III aplicó la relación entre alma y cuerpo a los asuntos de iglesia y estado:

> Así como Dios el creador del universo estableció dos grandes lumbreras en el cielo, la mayor para que señorease en el día, y la menor para que señorease en la noche, así también estableció dos grandes autoridades en el cielo de la iglesia universal ... el mayor para que pueda señorear sobre las almas como si ellas fueran el

---

[5] *Ibid.*, III/2, p. 419.

día, y el menor para que pueda señorear sobre cuerpos como si ellos fueran la noche. Esas dos son la autoridad pontificia y la autoridad real.[6]

Pero aparte de los asuntos de iglesia y estado, esta misma interpretación jerárquica de la relación entre alma y cuerpo ha sido comprendida de igual modo cuando se le aplica al orden social. Es cierto que la mayoría de los teólogos de hoy no se subscribirían a la dicotomía o tricotomía simplista que los teólogos del pasado extrajeron de la filosofía griega. Pero aun así, preparados y acostumbrados a vivir y trabajar en asuntos académicos, les es fácil concluir que los grandes logros humanos se deben más bien al intelecto. Sobre esa base, muchos hombres que hacen teología en las universidades y sus bibliotecas menosprecian a las mujeres que les preparan los alimentos y a las personas de las minorías étnicas que les recogen la basura. Consideran que sus vidas y trabajos están totalmente dedicados a los asuntos académicos, mientras que los demás humanos son seres inferiores y menos desarrollados. Los círculos académicos en donde se formula la teología inducen a sus teólogos a aceptar la superioridad de la vida intelectual y a protegerla con toda clase de justificación teológica.

Esta comprensión jerárquica de los logros humanos se manifiesta cuando algunos se quejan de que los salarios de los recogedores de basura casi se igualan a los de los profesores universitarios, olvidando que es mucho más cómodo ser profesor universitario que basurero, y que consecuentemente y en toda justicia, ¡los recogedores de basura deberían ganar mejor salario que los profesores! Los que formamos parte de la élite intelectual deberíamos recordar que la sociedad podría seguir su marcha por buen tiempo sin nosotros, pero que

---

[6] *Reges.* 1.401.

se vería en serios aprietos si desaparecieran los campesinos, cocineros y recolectores de basura.

Los racistas y sexistas utilizan el concepto del ordenamiento jerárquico del alma y el cuerpo para determinar que las mujeres y las personas de color son más aptos para los trabajos físicos, mientras que el hombre blanco es más apto para la vida intelectual. La conclusión obvia es que el ordenamiento de la sociedad que al presente vemos se fundamenta en la naturaleza humana y que por lo tanto no puede ser cuestionado. Sin embargo, la verdad es que tal orden puede y debe ser cuestionado.[7]

Una forma práctica de comenzar a cuestionar la jerarquización del alma y el cuerpo sería reactivar el viejo lema benedictino: *«ora et labora»*. Si ser verdaderamente humano es «incorporar» (hacer corpórea) el alma y «enalmar» el cuerpo, la verdadera vida humana requiere un buen equilibrio de ambos. Y si en esto consiste el significado bíblico de la naturaleza humana, sería mucho mejor si hiciésemos teología con la mugre debajo de las uñas. El «privilegio hermenéutico de los pobres» del que nos habla la teología de la liberación se fundamenta no sólo en que son oprimidos, sino también en el constante recordatorio de que su existencia se da en un cuerpo donde los huesos duelen. Por lo tanto, es muy posible que haya llegado el tiempo de adoptar nuevos modelos para la

---

[7] Históricamente existe una relación entre la jerarquización del cuerpo y el alma y la jerarquización de las funciones de la sociedad. Para probar este punto, es suficiente leer el tercer libro de *La República* de Platón, donde se establecen tres razas. La primera es la de oro, que son los filósofos, quienes además son los que gobiernan. La segunda es la de plata, que son los guerreros. La tercera es la de bronce, compuesta por todos los que usan las manos para trabajar. Los esclavos no son ni siquiera dignos de ser contados entre esas razas.

educación teológica, donde la reflexión incluya el hacer teología con mugre debajo de las uñas y huesos que duelan.

Cuerpo, alma y ecología

La otra dimensión de este problema es que la escala de jerarquía establecida entre alma y cuerpo ha devaluado también nuestra relación con la tierra. Volvamos sobre el conocido texto de Génesis 2.7: «Y Dios el SEÑOR formó al hombre del polvo de la tierra, y sopló en su nariz hálito de vida, y el hombre se convirtió en un ser viviente.» No se dice en este texto, ni en ningún otro lugar de la Biblia, que haya algo erróneo o malo en haber sido formado de la tierra. Sí se ve claro en el texto que ser humano es ser más que la misma tierra. Pero también se ve claramente que, aunque seamos más que tierra, es exactamente eso lo que somos. Es por eso que más adelante, en el relato, Dios dice: «Porque polvo eres, y al polvo volverás» (Gn 3.19). Lo que la segunda parte de este texto dice se refiere a la muerte como consecuencia del pecado. Pero la declaración que en la primera parte del texto se hace no es sino la reafirmación de lo que ya ha sido dicho en 2.7. El ser formado del polvo no es parte de la maldición, sino parte de la creación original, que fue vista por Dios como buena.

Es así, pues, cómo desde los primeros capítulos de la Biblia nuestra relación con la tierra queda establecida. No somos seres espirituales que residimos de manera temporal en la tierra, sino que somos hechos de ella y, lejos de destruir esa condición, el aliento de Dios más bien la afirma.

En el capítulo 1 del libro de Génesis hay otra historia de la creación. En la misma se afirma que cuando Dios creó al ser humano, dijo que éste «tenga dominio sobre los peces del mar, y sobre las aves del cielo; sobre los animales domésticos, sobre los animales salvajes, y sobre todos los reptiles que se arrastran por el suelo» (1.26). Tales palabras se han interpretado en el sentido de que Dios le dio carta blanca al ser humano para que gobernase a su antojo sobre la tierra. En su crítica al cristianismo desde el punto de vista de un nativoamericano, Vine Deloria señala con toda propiedad que:

> ... es esa la actitud abrazada por la cultura occidental en su explotación económica de la tierra. Cuando tal criterio se lleva a sus últimas consecuencias, la creación se convierte en un objeto económico ... Estén los cristianos de acuerdo o no en que su doctrina del dominio del hombre sobre la naturaleza se haya llevado hasta el punto a que se ha llevado, es innegable que el mundo moderno comienza a conocer el fracaso de la religión cristiana en cuanto a preocuparse por el bienestar del planeta en la presente crisis ecológica que vivimos.[8]

Desde el punto de vista histórico, Deloria tiene toda la razón. Ninguna otra civilización ha causado más destrozos en la naturaleza que la llamada civilización cristiana. Todo eso se ha justificado con la idea de que al ser humano se le concedió el dominio sobre la naturaleza. Aún en tiempos recientes, los apologistas cristianos se ufanaban de que los avances tecnológicos de la civilización occidental son el producto del concepto bíblico sobre la relación del ser humano con la naturaleza.[9] Si se hace un examen más cuidadoso de ese concepto

---

[8] Vine Deloria, Jr., *God is Red*, Dell, Nueva York, 1973, p. 96.

[9] A este efecto, Lesslie Newbigin dice: «Si tomamos el Nuevo Testamento como la llave para interpretar la historia, veremos la extensión mundial de una cultura tecnológica impulsada por la fuerza de una escatología secularizada como algo que significa mucho más que el escenario para la obra cristiana en el mundo. Veremos todo esto como parte del proceso por el

en Génesis, se verá que no hay tal carta blanca para dominar
la naturaleza. Lo primero que se ve es que el mismo texto que
se refiere al dominio sobre la creación se encarga de poner tal
dominio en cierto contexto. Dice: «Hagamos al ser humano a
nuestra imagen y semejanza. Que tenga dominio ...» El dominio que se confiere es para ejercerse a semejanza del dominio
de Dios. Y el dominio de Dios, ya lo hemos dicho antes, se
ejerce en el contexto del amor. Dios no gobierna la tierra y la
humanidad como un tirano despótico. La naturaleza de Dios
consiste en darse a los demás por puro amor. Si tal es el caso,
el dominio sobre la creación no sería de carácter autocrático,
sino un gobierno que se ofrece a sí mismo en amor. La raza
humana ejerce mucho poder sobre la creación. Es sorprendente que tal realidad se conoce desde el tiempo en que las palabras de Génesis fueron escritas. Por eso el autor de Génesis
establece los límites al afirmar que tal dominio ha de ejercerse
a semejanza del dominio de Dios, porque el poder de Dios es
un poder creativo. Como puede verse, aquí no hay ningún
intento de crear barreras entre el Dios Creador y la criatura
humana. El poder que nos fue dado es también poder creativo
para ser usado a la manera de Dios, a imagen de su dominio.
Ese es el poder por medio del cual fuimos creados y aún somos sostenidos.

Debe añadirse aquí lo que se dice en la segunda historia
de la creación en relación con nuestro lugar en el universo.
Fuimos creados del polvo de la tierra. Eso significa que no
entramos en contradicción con ella, sino que somos parte de
ella. No somos seres superiores que podamos mirar hacia la

---

cual los pueblos son traídos a una historia universal común que comienza
justamente con el nacimiento de Cristo.» *A Faith for This One World?*, SCM
Press, Londres, 1961, pp. 28-29. Sin embargo, Newbigin reconoce que tal
desarrollo tecnológico puede usar su poder para servir al anticristo.

creación desde una posición de ventaja y con aire de desdén, sino que somos parte de ella. Un aspecto en que se manifiesta la bondad de Dios es en que fuimos hechos de la tierra, de la misma tierra que contaminamos y despreciamos. Estamos conectados a la tierra mediante un cordón umbilical, de manera que cualquier daño que le ocasionemos se refleja en nosotros. Una vez más afirmamos que no somos visitantes de otros mundos, sino cuerpos en los que Dios puso hálito de vida.

Llamados a ser solidarios

En el capítulo 2 de Génesis, Dios comienza creando los cielos y la tierra, luego el huerto del Edén y finalmente al hombre. Todo eso ocurre antes de que lo que hoy llamamos «naturaleza» fuera creado. Entonces dijo Dios: «No es bueno que el hombre esté solo. Voy a hacerle una ayuda adecuada» (Gn 2.18). Estamos tan acostumbrados a leer este texto en relación con la creación de la mujer que no advertimos que entre este pasaje y el texto sobre la costilla del hombre «Dios el SEÑOR formó de la tierra toda ave del cielo y todo animal del campo, y se los llevó al hombre para ver qué nombre les pondría» (Gn 2.19). Así es que la frase «para que el hombre no esté solo» no se refiere sólo a que tuviera una esposa, sino a que tuviera toda la creación alrededor de él. Hay un gran contraste entre las palabras «no es bueno», en referencia a que el hombre estuviese solo, y la frase «y vio Dios que era bueno», tal como ocurre en la otra historia de la creación (Gn 1.10, 12, 18, 21, 25, 31). La frase aparece al final de cada etapa de la creación. En la segunda historia de la creación se nos dice que Dios vio que no era bueno que «el hombre esté solo». Esto significa que en sí mismo, el hombre no es un ser completo, sino que desde su misma creación ha precisado de compañía y solidaridad. La compañía y solidaridad no es sólo de la mujer, sino de toda la creación. Por sí solo, el hombre «no es bueno». Por sí mismo no constituye la buena creación de Dios.

Para que el hombre no continúe siendo una criatura solitaria, Dios hace «ayuda adecuada para él». Debemos clarificar esas palabras de inmediato, pues han sido objeto de muy mala exégesis. En inglés, la *Versión del Rey Jacobo* traduce correctamente este texto como «*help meet*» para el hombre, en el sentido de ayuda idónea. Desafortunadamente, esas dos palabras separadas fueron unidas por una sociedad sexista, creando la palabra «*helpmeet*» y poniendo sobre ella todas las ideas preconcebidas acerca de lo que una esposa debería ser. Tal interpretación se equivoca en dos puntos importantes. En primer lugar, la palabra que se traduce como «ayuda» no tiene, en modo alguno, la connotación de la esposa «ideal», dócil y humilde, según se la concibe tradicionalmente. Al contrario, esa palabra se le aplica frecuentemente a Dios, quien por su fortaleza es «ayuda» de Israel. En segundo lugar, lo que se traduce como «*meet*» en la *Versión del Rey Jacobo*, como «adecuada» en la *Nueva Versión Internacional* y como «idónea» en la *Reina-Valera Revisada*, significa literalmente «como frente a él» —como la imagen que se tiene frente al espejo, como el par de uno, pero nunca como un ser subordinado. Lo que en realidad diferencia a la mujer de los animales es que éstos no son «adecuados» o «idóneos» como compañía humana. No es que sean malos, sino que no son iguales al hombre. Esto puede verse en que el hombre los nombra, puesto que el poder de nombrarlos indica que están sujetos al hombre.

Es entonces cuando viene el conocido episodio de la costilla, que se ha interpretado en el sentido que si la mujer salió del hombre, entonces le está subordinada. No obstante, en el texto bíblico, el hombre mismo es quien no entiende las cosas

de ese modo, pues es el primero en reconocerla como su par,
su propia imagen, quien es verdaderamente «idónea», o como
alguien «que está frente a él». He aquí su declaración: «Ésta sí
es hueso de mis huesos y carne de mi carne. Se llamará "mujer" porque del hombre fue sacada» (Gn 2.23).

Lo que significa la primera parte de esas palabras no es
señorío, sino reconocimiento. El hombre se ha encontrado, al
fin, con su contraparte, con la que es «hecha para él» como
si fuera su imagen en el espejo. La segunda parte de la cita
anterior no intenta en realidad poner nombre a la mujer, pues
el hombre no le asigna un nombre diferente al de él, sino que
le llama por su propio nombre pero en forma femenina. El es
ish, y ella será *isháh*.[10]

El hombre es ahora considerado «bueno» porque tiene finalmente una «ayuda adecuada para él». Ya que esta ayuda
es «adecuada», como la imagen de un espejo, la mujer es también buena, porque ella también tiene una ayuda idónea en el
hombre. Ser verdaderamente humano es serlo en solidaridad
con otros, de modo que la criatura humana que Dios creó no
está completa a menos que los demás lo estén.

Sin embargo, me apresuro a aclarar que el matrimonio
ejemplificado en la historia de Adán y Eva es sólo una manera
de entre varias mediante las cuales el ser humano se realiza.
La historia de Adán y Eva no implica que el matrimonio sea la
única forma en que los humanos alcanzan su plenitud humana, pues de ser así habría que concluir que Jesús no alcanzó
esa plenitud. Ser completamente humano es vivir en solidaridad con los demás. Esto es lo que debe ocurrir en todas nuestras relaciones, y no sólo en la relación matrimonial.

---

[10] Lo cual la versión *Reina-Valera* indica creando la palabra «varona», es decir,
la forma femenina de «varón».

Es muy interesante notar que, contrario a la mayoría de las interpretaciones, no existe en el texto del Génesis nada que implique la idea de subordinación. Según la primera historia de la creación, toda la creación se subordina tanto al hombre como a la mujer (Gn 1.16-17). En la segunda historia de la creación, las aves y las bestias quedan subordinadas al control del hombre, quien las nombra. De hecho, nombrarlas es la manera de ejercer control sobre ellas. Se presume que cuando la mujer aparece en la escena y es declarada carne de la carne del hombre, y hueso de sus huesos, y además «idónea para él», ella comparte con él el dominio y control sobre las criaturas nombradas. Sólo después de que han pecado, y como resultado del mismo, el capítulo 3 de Génesis introduce el tema de la sujeción de la mujer al hombre. Es de notarse que el hombre se apresura a afirmar su poder sobre la mujer sólo como resultado del pecado, porque Génesis 3.20 dice que inmediatamente después de la maldición «el hombre llamó Eva a su mujer, porque ella sería la madre de todo ser viviente». Antes del pecado, el hombre compartió su nombre con la mujer; pero ahora se separa de ella y, como a las demás criaturas, le da nombre. Es así que recién después del pecado el hombre pone en acción su poder para sujetar y deshumanizar a la mujer. Al hacerlo, el hombre se deshumanizó a sí mismo, pues ya no contaba con una «ayuda adecuada» para él. Otra vez caen sobre él —y sobre todo ser humano— las mismas palabras: «No es bueno que el hombre esté solo.»

El sometimiento de un ser humano a otro, y en este caso el de la esposa al esposo, es producto del pecado, y por lo tanto una manifestación del mismo. La historia de la creación del capítulo 1 de Génesis consagra el dominio del ser humano, hombre y mujer, sobre toda la creación, pero nunca del uno sobre el otro. El pasaje del capítulo 1.26-27 es un testimonio en ese sentido. Otra vez, es recién en el capítulo 3, después del pecado, cuando el hombre ejerce su dominio sobre la mujer, dándole un nombre que ya no es el suyo. Al darle otro nombre, ya se enajenan el uno del otro, pues ya no son *ish* e *isháh*. Ahora ella es Eva, nombrada de esa manera por Adán. Aquella comunión solidaria, cuyo fundamento era el ser «idóneos» el uno para el otro, ha sido quebrantada. Es así como nace el afán de dominio en la sociedad, donde quedamos aislados y enajenados unos de otros como resultado del deseo de gobernar a los demás. En tal sociedad, no es sólo el «otro» el que queda enajenado, sino que todos nos enajenamos al perder nuestro sentido de solidaridad. Es por ello que Dios ha dicho justamente que «no es bueno» que vivamos para nosotros mismos.

El concepto de pecado

Martín Lutero dijo que por ser pecadores no sabemos quién es Dios, qué es la justicia, y ni siquiera qué es el pecado. En su doctrina de la depravación total, el calvinismo adoptó una postura semejante. La pecaminosidad nubla de tal modo nuestras conciencias que se nos hace ya imposible reconocer el pecado. Dicho de otro modo, nuestro propio concepto de pecado se ve oscurecido por nuestra pecaminosidad. Esto quiere decir que no debemos confundir el pecado con el crimen, ni tampoco con lo que nos hace sentir culpables.

Sin embargo, nuestra sociedad, como toda otra, busca sacralizar sus leyes y sus estructuras de poder dándoles sanción religiosa. Es por eso que existen grandes intereses que buscan convencernos de que cuando transgredimos alguna de sus leyes, nuestro crimen no es sólo contra el orden social o el estado, sino contra Dios mismo. El Dios todopoderoso se interpreta en solidaridad con los poderosos de nuestra sociedad, creando con ellos una alianza invencible. Pero el pecado no es siempre un crimen, ni el crimen es siempre un pecado. Esto es algo que han entendido muy bien los cristianos que son minoría en una sociedad. En la iglesia primitiva, rehusarse a cumplir la ley que obligaba a los cristianos a rendir culto al emperador no era considerado pecado, sino más bien el ápice de la fidelidad cristiana. Moisés y su pueblo fueron llamados a quebrantar las leyes de Egipto. Estas, a su vez, los consideraban criminales. Al comer en la misma mesa, los amos y esclavos de la iglesia primitiva transgredían la ley romana. Martín Luther King Jr. desobedeció las leyes de varios estados de su país.

Todos estos personajes deberían ser considerados criminales, pues de uno u otro modo violaron las leyes. Cuando fueron arrestados —y algunos deseaban serlo— fueron condenados legalmente. Ciertamente, podríamos decir que las leyes por las que fueron condenados eran injustas. Pero el caso es que esa era la ley y ellos la violaron, convirtiéndose en criminales e ilegales ante el estado. Con tales actitudes, no hacían sino seguir los pasos de otro criminal convicto y ejecutado como tal: Jesús de Nazaret. De él decimos también que su juicio fue injusto. Pero el caso es que desde el punto de vista de la ley y el orden romanos, todo aquel que se proclamara Mesías de Israel se constituía en criminal y como tal era convicto y ejecutado. Los que lo condenaron y ejecutaron tenían toda la autoridad legal para hacerlo. Jesús murió como un criminal porque *era* un criminal, aun cuando declaremos que las leyes que lo condenaron eran injustas.

Aquí, el punto más importante es que no debemos confundir el pecado con el crimen. La sociedad valora la ley y el orden por encima de todo, debido a que los que establecen esos valores son los que más se benefician de ellos. Eso no sólo ocurre en nuestra sociedad, sino en cualquier sociedad humana donde el afán de dominio prevalece por sobre el amor.

En la otra cara de la moneda encontramos que no todo lo que es legal está libre de pecado. Por ejemplo, nuestras leyes no establecen límites sobre la cantidad de tierras o casas que una persona puede acumular o acaparar para sí. En contraste, la Biblia condena con toda claridad la avaricia que destruye al pobre. Nuestras leyes nada dicen sobre el impulso humano de desplazar y sobresalir sobre los demás, procurando ser siempre el «número uno». Las Escrituras sí lo hacen al declarar que eso constituye pecado, el cual es la negación del amor y de la solidaridad para los que fuimos creados.

Tampoco debe confundirse el pecado con las cosas que nos hacen sentir culpables. El pecado nubla la conciencia de tal forma que la conciencia misma se vuelve incapaz de reconocerlo. Así es que la sociedad forma la conciencia de pecado de tal modo que refleja los valores y conceptos que la sociedad impone. Los sentimientos de culpa nos indican que hemos cometido algo que se nos ha enseñado que es malo; pero eso no garantiza que en realidad lo sea. La redención no es simplemente la capacidad de vivir de acuerdo a la conciencia, sino también la redención y reforma de la conciencia misma.

Nuestra comprensión de lo que es el pecado ha sido trastocada por la sociedad y aún más por la propia civilización occidental, por lo menos en algunos puntos muy importantes. El primero de ellos es su «sexualización». Aun cuando los teólogos nos dicen que el pecado va mucho más allá de las actividades sexuales impropias, tendemos a igualar ambas cosas en nuestras conversaciones cotidianas. Si en nuestras lecturas de la Biblia hiciésemos una lista de los pasajes que se refieren a pecados sexuales y otra lista de los que se refieren al uso de la riqueza y de las propiedades, veríamos que la lista sobre los asuntos económicos es mucho más larga que la otra. El Dios de las Escrituras se preocupa tanto por el mal uso de las propiedades como por el abuso del sexo. Sin embargo, es bien poco lo que oímos predicar en las iglesias sobre el mal uso de las propiedades. Lo que sobre esto oímos es realmente vago, como es lo que se predica sobre «mayordomía». Nada se dice sobre el modo en que la Biblia condena la «maximización de las ganancias» por violar los derechos de los pobres (ver, por ejemplo, Dt 24.17-22; Lv 19.9-10; 23.22). No es casual que se seleccione el material que ha de predicarse y enseñarse. Tampoco lo es que los pecados sexuales sean más comunes. Se trata más bien de que se nos ha enseñado a ver e interpretar el «pecado», así como otras doctrinas bíblicas, de una manera que no ofenda el oído de los poderosos.

La sexualización del pecado se conecta, obviamente, con la jerarquización del alma y el cuerpo, que ya discutimos anteriormente. Para la tradición filosófica en la que se desarrolló la jerarquización del alma y el cuerpo, la verdadera sabiduría consiste en que la mente controle efectivamente al cuerpo y sus pasiones. Como en las actividades sexuales el cuerpo asume el control sobre la mente, tales actividades fueron consideradas contrarias a la virtud y la sabiduría. Cuando tales ideas fueron introducidas en la iglesia, se convirtieron rápidamente en la razón para que muchos abrazasen el celibato. Gradualmente, la iglesia fue cayendo en la sexualización del pecado, porque para muchos santos empeñados en mantenerse célibes las actividades sexuales llegaron a constituir las peores tentaciones. Y, como la mayoría de las obras y tratados teológicos fueron escritos por varones, la mujer resultó ser la gran tentadora.

La mayoría de esos santos y teólogos mantenían también votos de pobreza. Muchos habían vendido sus posesiones y las habían distribuido a los pobres. Algunos escribieron penetrantes comentarios sobre la avaricia y sobre los poderes del capital. Pero la iglesia prefirió poner su atención en lo que estos santos tenían que decir sobre el sexo e ignorar lo que dijeron sobre asuntos económicos. Estos últimos sólo se aplicaban a los que se decidían por la vida de pobreza voluntaria y a la comunidad de bienes, es decir, a los monásticos.

La sexualización del pecado es, sin embargo, sólo un aspecto de su más generalizada «privatización», de tal modo que el pecado ha venido a ser un asunto entre Dios y el individuo. En la iglesia primitiva se hacía la confesión de los pecados en forma pública y específica. Con el tiempo, esta práctica se fue abandonando en favor de una confesión más privada y específica —como en la Iglesia Católica Romana— o de una confesión pública, pero general —como en la mayoría de las iglesias protestantes de hoy. Explicar cómo ocurrió todo eso es complicado y no podría hacerse aquí. El caso es que el pecado se volvió cada vez más un asunto privado entre Dios y el individuo.

Sin embargo, la privatización del pecado contradice la naturaleza de nuestra humanidad. «No es bueno» que estemos solos, pues en el propósito de Dios no está el que la persona permanezca en soledad. Fuimos creados para vivir en solidaridad, y es sólo en ella que se realiza lo que Dios quiso que fuésemos. Esta solidaridad es para con Dios, para con la creación y para con los demás seres humanos. Estamos en medio de la creación de Dios; somos responsables de ella porque parte de ella somos. Nuestra responsabilidad hacia los demás es una expresión de nuestra responsabilidad hacia Dios. Así la describe Ortega y Gasset en su famosa frase: «Yo soy yo y

mi circunstancia.» El pecado es pues la violación de esa solidaridad; la violación de la imagen de Dios en nosotros, que
es precisamente la imagen de un Dios solidario que se da por
los demás.

El hambre y sed de dominio es la forma más común en que
se manifiesta el pecado. El dominio en la sociedad comienza en el momento en que Adán le pone nombre a Eva. Las
desviaciones sexuales son pecaminosas porque bloquean los
sentimientos de reciprocidad. La acumulación de casas y lati-
fundios es pecaminosa porque niega a los demás el derecho a
techo y tierra. La idolatría es pecaminosa porque en ella nos
hacemos dioses que no nos obligan a relacionarnos con los
demás. Entonces el refrán de que «el pez grande se come al
chico» se convierte en la norma de la sociedad. Esto es lo que
Jesús llamaría «el reino de Mamón», que se enfrenta al reino
de Dios y demanda una lealtad absoluta, pues «nadie puede
servir a dos señores».

Pero se da una forma todavía más insidiosa del pecado,
especialmente entre las mujeres y las minorías oprimidas, y es
substituir la solidaridad con los demás por una falsa humildad. En aquella reunión del cuerpo docente a que me referí
en capítulos anteriores, opté por quedarme callado cuando se
desatendió mi contribución. Pensé dentro de mí que no sería
una actitud cristiana llamarles la atención por lo que me estaban haciendo, cuando lo que en realidad ocurría era que
yo no quería pasar por el mal rato que mi reclamo hubiera
creado. Me convencí de que al tomar como excusa una supuesta solidaridad con el grupo y no enfrentar a mis colegas
hacía algo que era esencialmente cristiano, cuando lo que en
realidad hice fue impedirles que se solidarizaran conmigo.
Lo que hice con mi actitud fue aceptar la deshumanización

de parte de ellos hacia mí, así como contribuir a su propia
deshumanización.

A los grupos oprimidos se les presenta a menudo esta clase
de tentación. Muchas mujeres no llegan a enfrentar situaciones
difíciles al convencerse de que deben resignarse y que rehusarse a reclamar sus derechos es una virtud. De esa manera se
deshumanizan a ellas mismas, así como también deshumanizan a aquellos a quienes dicen amar. A muchos cristianos hispanos se les presenta la misma situación en este país. Se han
convencido de que reclamar sus derechos, sea en la sociedad
o en la iglesia, constituye un pecado, cuando lo pecaminoso
es que de modo sumiso aceptemos lo que nos impongan otros
a nuestro derredor. Si se huye de la confrontación y no se demanda solidaridad de quienes están en posiciones de poder y
privilegios, estamos contribuyendo a deshumanizar la sociedad en que vivimos.

La manera tradicional de interpretar la tentación en Génesis 3 consiste en afirmar que la serpiente engañó al hombre
y que la mujer prometía que serían «como Dios». Vistas las
cosas en ese contexto, el pecado original consiste en el orgullo.
Pero a la luz de los dos relatos de la creación en Génesis 1 y
2, se ve que la serpiente no prometía nada nuevo, pues Adán
y Eva eran ya como Dios (Gn 1.26-27). Esto hace que aban-
donemos la interpretación del pasaje que se centra en un orgullo excesivo —lo que en griego se llama *hybris*— y más bien
veamos allí un sentido de humildad excesivo, basado en la
falta de confianza en Dios. Ya habían sido hechos a la imagen
de Dios. Ya eran como Dios. Se les había dado dominio sobre todas las demás bestias, y por tanto sobre la serpiente. Sin
embargo, no se atrevieron a reclamar su identidad y ser «ellos
mismos» frente al tentador. Al escuchar los razonamientos
de la serpiente y no atreverse a reclamar la imagen y seme-

janza de Dios que ya tenían, renunciaron a su identidad, tal como me ocurrió a mí cuando no protesté en aquella reunión de la facultad. El resultado de todo esto no es sólo su propia destrucción, sino también la corrupción de la serpiente y del resto de la creación.

10

Y EL VERBO SE HIZO CARNE

Aun cuando el Concilio de Nicea hizo lo posible por evitar la «constantinización» de Dios al afirmar la divinidad eterna del Verbo, no hizo lo suficiente para establecer que la inmutabilidad no es una característica propia del Dios de los cristianos. Por el contrario, al tratar el tema de la «esencia» de Dios (*usía*), el Concilio dejaba implícito que la noción griega de substancia era la forma apropiada de referirse a Dios. Esta categoría es básicamente estática. Así es que este proceso, iniciado por Justino dos siglos antes del Concilio y aun antes de Justino por Filón, y del que surgieron las controversias trinitarias, no fue detenido por el Concilio. Las presiones políticas e intelectuales sobre el liderato de la iglesia eran enormes, por lo que no pudo evitarse la helenización, y por consiguiente, la constantinización de Dios.

Tal constantinización de Dios no resultaba difícil, pues después de todo, «nadie vio a Dios jamás». Se necesitaba cambiar el modo en que se pensaba acerca de Dios. Para esto se disponía de los conceptos griegos. El proceso incluía la demostración de la «racionalidad» de los conceptos griegos, garantizada por lo permanente y estático, y la denuncia de los antropomorfismos de las imágenes contenidas en las Escrituras y la teología cristiana primitiva al referirse a Dios. Mediante el uso de esas dos herramientas, los teólogos del statu quo pudieron eclipsar la descripción bíblica de un Dios activo, justo, misericordioso y vengador. Al mismo tiempo se aplicó el proceso alegorizador por el que se le quitó a la Biblia su dimensión histórica. De este modo, la actividad histórica de Dios se transportó a un plano supuestamente «más elevado» y permanente. Fue así como los faraones del imperio romano y de la civilización occidental se convirtieron en el «nuevo Israel», con la esperanza de que Dios no convulsionara nuevamente la sociedad, como lo hizo en el antiguo Egipto.

Pero les quedaba por resolver un aspecto que a todas luces se negaba a ser constantinizado. ¿Qué hacer con Jesús, el carpintero de Galilea, llamado el Cristo? Pues aunque «nadie vio a Dios jamás», aquí estaba aquel a quien los fieles no sólo habían visto, sino también oído y tocado (1Jn 1.1). Era una figura histórica a la que había que tomar en cuenta.

Enorme fue el esfuerzo por mitigar el impacto del escándalo producido por un Dios que se revela en la persona de un pobre carpintero. Se reinterpretó la vida y obra de Jesús en términos más digeribles a los ricos y poderosos. Se tejieron innumerables leyendas acerca de Jesús, con el fin de elevar su persona a un nivel más «divino», es decir, al nivel de un superemperador. El arte comenzó a describirlo como Rey del Universo sentado en su trono, o como un héroe impasible capaz de vencer los sufrimientos de la cruz con recursos sobrehumanos y pose aristocrática.

Más allá de todo lo que hayan dicho o hecho, ahí permanece la figura real e histórica del carpintero crucificado por los poderes de este mundo, quien hasta en sus gritos de desesperación sigue siendo declarado «verdadero Dios». Este es el tropezadero que ninguna teología constantiniana puede vencer.

La tentación gnóstica

Dentro de la clase oprimida aparecen siempre algunos que estiman necesario encontrar una justificación para la opresión. Cuando los israelitas deseaban volver a los potajes, cebollas y seguridad que los egipcios les proveían, aprendieron que la libertad y la dignidad tenían un alto precio. Seguir al Dios viviente requiere que la persona, tanto la individual como la colectiva, abandone la seguridad que proveen los ídolos. En otras palabras, hay que tomar el riesgo de creer en un Dios que es diferente a cualquier otro dios. Esto quiere decir que hay que arriesgarse a desafiar las estructuras de injusticia y opresión, confiando en que Dios participa de la lucha junto a nosotros. Esa es la razón por la que algunos dentro de los grupos oprimidos buscan una fe que minimice el significado de su opresión. Eso explica por qué algunos cristianos, mucho tiempo antes de Constantino, buscaron desarrollar una teología que les permitiera vivir una fe que no implicase riesgos. Esa teología fue el gnosticismo.

Los gnósticos estaban conscientes de la maldad y las injusticias que abundan en el mundo. Pero la solución que adoptaron fue la de entregar el mundo a los poderes del mal y a la vez poner toda su esperanza en una realidad totalmente distinta. Para ellos, esa realidad original y última era puramente espiritual. El universo físico no es parte del plan divino de la creación, sino que, por el contrario, surgió como resultado de un error. Nuestras almas están atrapadas en este mundo, especialmente en los cuerpos materiales, que son parte de él. La salvación consiste en escapar de este mundo material mediante el conocimiento de realidades especiales y secretas. De aquí viene el nombre de «gnosticismo», de la palabra griega *gnosis*, que significa «conocimiento». Tal conocimiento fue traído a la tierra por un mensajero de lo alto, a quien el gnosticismo cristiano (pues hay también gnósticos que no son cristianos) identifica con Cristo. Como el mensaje es espiritual y este mundo material es malo, Jesús no se hizo carne, sino que sólo lo aparentaba. Este concepto acerca de Jesús, llamado docetismo, ejerce gran atracción sobre muchos cristianos, pues exalta la figura de Jesús al declararla una criatura puramente celestial y divina.

Así es que todo sufrimiento, muerte, injusticias y maldad que existan en el mundo carecen de importancia para los gnósticos. Las almas están aprisionadas en el cuerpo, que a su vez impide al alma vislumbrar las realidades espirituales. Pero cuando venga la consumación de todas las cosas, nuestros cuerpos, así como toda la realidad material, serán destruidos para que sólo reinen las realidades espirituales.

Este concepto de la condición humana ejerció sobre los cristianos del segundo y tercer siglo una tentación tan poderosa como lo fue Egipto para los israelitas en el desierto. Hay consuelo en creer que ninguna cosa que pase en este mundo tiene carácter último y que por esa razón uno no tiene que preocuparse por el mal que ocurre a diario. Si los emperadores y aristócratas lo derrochan y despilfarran todo mientras el pobre sufre, o si otros esclavizan nuestros cuerpos, no deberíamos preocuparnos, pues al final saldremos de este valle de lágrimas. Si mi prójimo o yo mismo tenemos hambre, hay poco de qué preocuparse, pues las privaciones preparan al alma para la vida futura cuando se haya librado del cuerpo.

Tales ideas eran ya comunes en el mundo helenista cuando apareció el cristianismo, y por ello el gnosticismo cristiano fue sólo uno de los muchos intentos de adaptación del mensaje de la iglesia a la cultura circundante en los primeros siglos.

Claro que esta afirmación histórica no contradice nuestra tesis de que la apelación al gnosticismo se hizo bajo la presión de agendas políticas. Lo que aquí ocurrió fue semejante al proceso mediante el cual se igualó el concepto filosófico de la inmutabilidad con el Dios de la Biblia. Tanto el concepto gnóstico de la salvación como el concepto filosófico del Ser Inmutable ocupaban un lugar extraordinario en el mundo en que el cristianismo se expandió. Tal función no fue sólo religiosa o intelectual, sino también social y política. Por ello la influencia que tales ideas tuvieron fuera del cristianismo continuó con igual fuerza aun cuando fueron incorporadas a la nueva fe.

Como había persecución y opresión en los siglos 2 y 3, no es necesario decir que estos conceptos atraían mucho a los cristianos. Siendo la iglesia una minoría compuesta por gente de las clases más bajas que no tenía la más mínima esperanza de escalar en lo social y que se encontraba en constante amenaza de muerte, los cristianos se veían tentados por una doctrina que les prometía recompensas en otro mundo y declaraba que no había que tomar en cuenta las injusticias presentes. Tal como ocurrió con los israelitas que deseaban regresar a Egipto, muchos cristianos se acogieron en el gnosticismo, aun sabiendo que tendrían que soportar todo el mal del tiempo presente. Algunos historiadores creen que el atractivo que ejercía el gnosticismo en los primeros siglos de la era cristiana estaba en que intentaba explicar los misterios del mundo. No es así. El atractivo del gnosticismo estuvo —y sigue estando, pues hay ahora una renovación del antiguo gnosticismo— en que la salvación que ofrecía ocurriría fuera de este mundo y no requería confrontación alguna con la maldad del presente.

Así es que el docetismo glorificaba a Jesús al convertirlo en un ser totalmente divino. En él no existía ninguna de las limitaciones que nos hacen infelices, ni tampoco estaba sujeto a las limitaciones relacionadas con las debilidades carnales. Con su manera de pensar, los docetas le daban a Jesús más alabanzas y mayor rango que el que le daban los cristianos más ortodoxos, quienes insistían que Jesús era un ser humano que como cualquiera de nosotros necesitaba comer y que sufría tal como nosotros.

Sin embargo, el gnosticismo se oponía de manera tajante tanto al testimonio de las Escrituras como a la fe cristiana. La Biblia dice que Dios creó este mundo —este mundo material, con plantas y animales— «y vio Dios que era bueno». La materia no es un error. Es parte de la voluntad creadora y amorosa de Dios, de donde procede todo el mundo material. Por eso lo material no puede ser malo ni indiferente. La fe cristiana afirma la consumación final, que no será sólo espiritual, sino más bien la unión de todas las cosas en Cristo. La fe cristiana cree también que parte de esa consumación final será la resurrección de la carne, la cual ocurrirá cuando los pobres hereden *la tierra*.

El escollo formidable que encontró el gnosticismo en su avance fue siempre la persona de Jesucristo. Los Evangelios y la fe cristiana siempre han afirmado que Jesús no fue un fantasma etéreo que flotara en las nubes y que hablara palabras misteriosas. Por el contrario, los Evangelios dicen que nació en un tiempo y lugar específicos. De él dicen los Evangelios que crecía, comía, dormía, lloraba, sudaba, manaba sangre y murió. Lo que dice el cuarto Evangelio es que «el Verbo se hizo carne». De hecho, el mensaje cristiano puede identificarse como «lo que hemos oído, lo que hemos visto con nuestros propios ojos, lo que hemos contemplado, lo que hemos tocado con las manos» (1Jn 1.1). El hecho de que la suprema revelación de Dios ocurrió en la persona de Jesús le cierra el paso a cualquier escapismo que pretenda postularse como el genuino camino cristiano. Pablo declaró, por ejemplo, que «El que no escatimó ni a su propio Hijo, sino que lo entregó por todos nosotros, ¿cómo no habrá de darnos generosamente, junto con él, todas las cosas?» (Ro 8.32). Esto no significa sólo que Jesús vino para salvar a los cristianos, sino que Dios no ha escatimado a Jesús al mundo, por más malo que fuese. Y puesto que Dios ha actuado de esa manera, los cristianos comprenden que las promesas de Dios incluyen «todas las cosas». Porque Jesús no se escapó del mundo, sino que lo enfrentó y venció, ahora los cristianos podemos reclamar «todas las cosas» como nuestra herencia. Queriendo glorificar a Jesús, el docetismo realmente lo ha despojado de lo que el Nuevo Testamento llama su mayor gloria: su encarnación y sufrimiento en la cruz. En última instancia, el docetismo no sólo despoja a Jesús de la realidad de la encarnación y el sufrimiento, sino de la misma naturaleza de un Dios cuya mayor victoria se logra a través del sufrimiento y cuya revelación más clara ocurre en la cruz.

Tanto el gnosticismo como el docetismo que le acompaña han sido siempre una tentación para los que son de algún modo víctimas de la opresión. La gente recurre a cierta clase de gnosticismo cuando se siente abrumada por problemas que controlan sus vidas, por situaciones que en ningún modo puede cambiar. Por eso esta herejía aún persiste al día de hoy. En la sociedad «de masas» en que vivimos, muchas personas se sienten impotentes para enfrentar los retos diarios y prefieren consolarse con las promesas de una vida futura, en vez de pensar que les pertenecen «todas las cosas» del mundo presente. Esta es la razón del éxito de los predicadores «electrónicos», cuyo mensaje es básicamente gnóstico. Esta permanente tentación que atrae a quienes se sienten vacíos en nuestra sociedad es todavía más fuerte entre los grupos pobres y desposeídos de la sociedad. Cuando los hispanos sucumbimos a la tentación gnóstica y doceta y creemos que con ello exaltamos a Jesús, en realidad lo despojamos de su mayor gloria, tal como lo hacían los antiguos gnósticos, y a la vez nos despojamos a nosotros mismos de las consecuencias de su obra salvífica, por medio de la cual, junto con él, nos serán dadas «todas las cosas».

La tentación del adopcionismo

Mientras la iglesia combatía la tentación y amenaza del docetismo gnóstico, apareció por otro lado el extremo opuesto. Este era el adopcionismo, que aunque se presentaba con diversos matices, declaraba básicamente que Jesús era sencillamente «un hombre» que de alguna forma había sido elevado o adoptado dentro de la divinidad. El exponente clásico de esta posición fue Pablo de Samosata, quien vivió en el siglo 3,[1] aunque antes de él hubo otros tales como los «ebionitas», cuya doctrina no es bien conocida, pero que mantenían una posición semejante. En cualquier caso, lo que esta corriente de pensamiento plantea es que Jesús fue divino sólo por «adopción» y no por «naturaleza». Según Pablo de Samosata, la presencia divina en Jesús fue «impersonal», y difería sólo en grado de la presencia de Dios en los profetas.

Es importante reconocer que esta posición no tuvo el mismo atractivo que el docetismo entre los cristianos. La iglesia pudo deshacerse fácilmente de varias formas de adopcionismo sin gran dificultad. El mismo Pablo de Samosata, su principal exponente, no contó con una audiencia muy amplia,

---

[1]   El estudio más importante sigue siendo el de Gustave Bardy, *Paul de Samosate: Étude historique*, Spicilegium Sacrum Lovaniense, Louvain, 1929.

mientras que sí logró cierta notoriedad por haber sido un funcionario público con cierto poder. Pero parece que su posición no logró calar profundo en la generalidad de la iglesia.

Lo mismo ocurre entre los grupos minoritarios de hoy día. El adopcionismo no parece ser una tentación para los hispanos, los afroamericanos ni los pobres de América Latina. El entusiasmo adopcionista de los teólogos liberales de los siglos 19 y 20 no ha ido más allá de la clase media liberal que ellos mismos representaban.[2]

La razón de su limitada influencia es que el adopcionismo es la expresión cristológica de un mito que los grupos minoritarios identifican como opresivo. Es el mito de que «*anyone can make it*» —que el éxito está al alcance de todos. Las clases poderosas tienen un marcado interés en este mito, pues implica que han logrado sus privilegios a base de esfuerzos y trabajo duro. Pero los que pertenecen a clases más bajas y no han perdido su sentido de realidad saben que se trata de un mito y que sólo a algunos se les permite ganar cierto estatus con el fin de preservar el mito mismo.

La película sobre la vida de Jackie Robinson, que salió hace algunos años, es un claro ejemplo de cómo opera el mito en su insensibilidad hacia el grito de los oprimidos. Después de mostrar todas las dificultades que Robinson tuvo que afrontar en su esfuerzo por jugar béisbol en las grandes ligas, el film termina destacando el hecho de que esto ocurrió en Estados

---

[2] Bonhoeffer tiene razón al afirmar que la teología liberal es en definitiva docética, a pesar de su adopcionismo explícito, pues termina idealizando al Jesús histórico. «La teología liberal se inclina a considerar a Pablo de Samosata como un precursor. Aun cuando hay algunas analogías, las referencias a él son injustificadas. La naturaleza de la teología liberal no es ebionita sino docética en su base.» *Christ the Center*, Harper & Row, Nueva York, 1966, p. 87.

Unidos, el país donde cualquier muchacho puede llegar a ser presidente o jugar con los Dodgers de Brooklyn. La propia historia de la vida de Robinson contradice tal mentira, pues lo que muestra es que se trata de una sociedad que aplasta a un niño negro desde el momento en que nace. Sin embargo, la audiencia predominantemente blanca para la que fue hecha la película, ¡se deshace en aplausos al escuchar tales palabras! Ese mito, que es tan central a la vida social de este país así como para los privilegiados, debe ser creído aun cuando los mismos hechos lo desmienten.

Entre los grupos oprimidos, el mito debe ser visto como lo que es, pues de otra manera se tendría que llegar a la conclusión de que la condición de los pobres se debe a que su valor es inferior. La mayoría de quienes aceptan el mito como válido entre los grupos minoritarios se desprecian a sí mismos y sufren de muy baja autoestima. Otros que creen en el mito y obtienen cierto éxito son utilizados como prueba de que el mito funciona, aunque de inmediato reclaman que lo han logrado debido a sus cualidades superiores. Lo cierto es que tales personas pronto rompen sus vínculos con las comunidades oprimidas de donde proceden, privando a tales comunidades de líderes que podrían contribuir a su mejoramiento.

Para quienes sienten que la sociedad es cerrada y opresiva, el adopcionismo resulta ser una doctrina enajenante, pues el hecho de que algunos oprimidos tengan éxito no cambia las estructuras injustas, que es el problema real. El que Jesús, uno de nosotros, triunfe debe significar algo más que eso; debe ser más que una simple prueba de que, después de todo, la opresión no es tan fiera como la pintan. El que uno de nosotros triunfe debe ser la expresión de una realidad que va más allá de la realidad cerrada en que vivimos. Jesucristo tiene que ser más que el primer redimido de entre nosotros, más que el muchacho del barrio que logra triunfar. Jesucristo tiene que ser el Redentor, el poder que viniendo de afuera irrumpe en nuestra realidad cerrada y rompe las coyundas de opresión. Tal Jesús es más que «el hijo adoptivo de Dios». Este Jesús es Dios mismo, quien nos adopta como sus hijos e hijas.

El significado de la definición de Calcedonia

Con el rechazo del docetismo y el adopcionismo, quedó bien en claro que tanto la humanidad como la divinidad de Jesús son importantes. Eso fue lo que se buscó expresar y explicar en la doctrina cristológica y en los debates que la formaron: que en Jesucristo y para nuestra salvación, lo divino y lo humano se han hecho uno.[3]

Pero en tal afirmación hay un serio problema, que surge de la manera en que se comprendía qué era lo «divino» y qué lo «humano». De hecho, al definir a Dios como impasible, inmutable, infinito, omnipotente y demás, los teólogos distanciaban la realidad de Dios de toda limitación humana. Nosotros somos finitos; Dios es infinito. Nosotros estamos sujetos a cambios; Dios es inmutable. Nuestros poderes son limitados; Dios es omnipotente. Dios es todo lo que nosotros no somos y viceversa. Estas maneras mutuamente contradictorias de entender lo que son la divinidad y la humanidad se plantearon y definieron a priori, aparte de la encarnación. De inmediato surge entonces la pregunta: ¿cómo se unieron en Jesús la divinidad y la humanidad? La manera en que se definían los

---

[3] Para una discusión más completa del material histórico que sigue, ver J. L. González, *Historia del pensamiento cristiano*, vol. 1, Caribe, Miami, 1992, pp. 318-63.

dos términos de la unión creaba entonces una situación tan absurda como la de pedir helado caliente.

Así es que mucho antes de que estallaran las controversias cristológicas con el apolinarismo hacia fines del siglo 4, ya la iglesia había preparado la escena. Y lo había hecho convirtiendo lo que sería necesariamente una paradoja en una abierta contradicción. La paradoja de la encarnación que consiste en afirmar que este hombre concreto, Jesús de Nazaret, es también el Dios universal, se convierte en una contradicción cuando los términos de esa unión se plantean en base a un supuesto conocimiento a priori acerca de lo que significa ser divino y lo que significa ser humano, y estos dos resultan ser contradictorios.[4]

Tal comprensión de los términos de la unión les abrió las puertas a dos escuelas de interpretación. La primera fue la que los eruditos llaman la *cristología alejandrina*, la cual insiste en la realidad de la unión y la total divinidad de Jesús, aun a expensas de su humanidad. En cierto modo, esta posición resultaba ser una manera más refinada de los viejos conceptos extremos de los docetas, ya que los alejandrinos coincidían

---

[4] Al discutir las controversias cristológicas del siglo 5, así como las opciones que fueron condenadas, me parece muy útil la imagen empleada más arriba, del «helado caliente». Si se nos pide que produzcamos helado caliente, algunas de las opciones serían: 1) «Alaska al horno», un postre en el que la crema helada o mantecado se preserva helada al aislarla del calor mediante una capa de merengue (¿nestorianismo?); o 2) mezclar todos los ingredientes para el helado y luego ponerlo al fuego (¿monofisismo?). Cuando hago esto en el salón de clase, al llegar a este punto es casi seguro que algún estudiante preguntará: «¿Qué le parece si hacemos el helado con salsa picante?» (En inglés, «*hot*» puede significar tanto «caliente» como «picante».) ¡Precisamente! Lo que ha hecho ese estudiante es redefinir lo que quiere decir «caliente». El problema esencial es el de las definiciones, pues siempre que busquemos definir lo «divino» y lo «humano» en formas mutuamente contradictorias, la contradicción prevalecerá.

con los docetistas en enfatizar la obra de Jesús como maestro, iluminador o mensajero de Dios. Para ejercer esa tarea, su divinidad era imprescindible, aun cuando la humanidad se redujera a lo que fuera necesario con tal de lograr tal nivel de comunicación. Esto explica la satisfacción de los gnósticos al hablar de la humanidad de Jesús como mera apariencia. Los alejandrinos ortodoxos fueron más cuidadosos en sus planteamientos al ver que los gnósticos habían sido rechazados, y por ello afirmaban que Jesús habitó en un cuerpo humano real, aun cuando algunos de ellos no atribuían a ese cuerpo ningún significado salvífico.

La segunda vía de interpretación es la que los eruditos llaman la *escuela cristológica antioqueña*. Esta insistía en la total humanidad y divinidad de Jesús, pero temía que una unión muy estrecha entre ambas resultaría en la absorción de la humanidad por la divinidad. Es por eso que la cristología antioqueña se ha caracterizado como «disyuntiva» en contraste con el carácter «unitivo» de su equivalente en Alejandría.

La historia de las controversias cristológicas de los siglos 4 y 5, y aun después, es la historia de los combates entre estas dos escuelas de pensamiento, y por otro lado, la negativa de la iglesia a comprometerse con alguna de ellas de manera total.

Tanto el docetismo como el adopcionismo habían sido rechazados por la mayoría de los cristianos ya para mediados del siglo 4. Como todavía estaba en escena la controversia arriana, Apolinario de Laodicea, teólogo antiarriano de la escuela de Alejandría, respondió a las objeciones de los arrianos tratando de articular la manera en que se unieron la divinidad y la humanidad de Cristo. Para Apolinario, Jesús tenía en realidad un cuerpo humano, pero a la vez carecía de un «alma racional» humana. En otras palabras, Apolinario creía que el

Verbo divino, el Hijo eterno, tomó en Jesús el lugar del alma racional humana. Traduciéndolo a un lenguaje simple, Jesús era físicamente humano, pero psicológicamente divino. La objeción de los arrianos era que la encarnación probaba que el Hijo o Verbo de Dios era mutable. Apolinario respondía que el cuerpo mutable se unió al Hijo inmutable, preservando así tanto la unión de la divinidad y la humanidad como la inmutabilidad del Hijo.

Pronto se vio que esta posición creaba grandes dificultades. En primer lugar, contradecía el testimonio del Nuevo Testamento, que Jesús tenía una mente humana, que sentía y pensaba como un ser humano. Mantener la posición de Apolinario significaba aproximarse peligrosamente al docetismo. En segundo lugar, su concepto de la encarnación negaba el hecho de que Dios se había unido a un verdadero ser humano, ya que un ser humano no es sólo un cuerpo en el que reside una mente, sino la unión de ambas entidades. Así es que la propuesta de Apolinario plantea sólo una encarnación parcial. Lo que resultaría de una encarnación parcial es sólo una salvación también parcial, pues si Dios se hizo humano para salvar a los humanos, pero sólo se encarnó en el cuerpo y no en la mente, entonces sólo nuestros cuerpos, y no nuestras mentes, son salvos. Gregorio Nacianceno lo dice de esta forma:

> Cualquiera que haya puesto su confianza en él como un hombre en quien no hay una mente, queda también privado de mente, y no es digno de ser salvo. Pues lo que el Hijo no ha asumido, tampoco ha salvado, pues sólo lo que se ha unido a la deidad es salvo. Pues si la caída hubiese ocurrido sólo en la mitad de Adán, eso sería lo que Cristo asume y salva. Pero si toda su naturaleza cayó en pecado, entonces es necesario que todo

su cuerpo se una al Cristo engendrado para su completa salvación.[5]

El concilio de Constantinopla, reunido en el año 381, rechazó los conceptos de Apolinario, pero no ofreció una mejor
solución al problema cristológico central de cómo se unieron
la divinidad y la humanidad en Cristo.

Desde el punto de vista hispano, el apolinarismo elimina-
ría el poder salvífico del Jesús en quien creemos y a la vez re-
forzaría las actitudes que apoyan la opresión del hispano y de
otras minorías. El apolinarismo implica, como bien lo apunta
Gregorio Nacianceno, que la mente humana no necesita salvación, que nuestro problema principal radica en nuestra naturaleza corporal. Como lo hemos visto ya, tales conceptos han
sido utilizados por los que controlan el orden social, aducien-
do que, como son supuestamente más inteligentes, son superiores. Lo que esto implica cuando se lo traslada a las estructuras sociales es que las clases gobernantes —la «mente»— de
una sociedad no necesitan redención, ya que no son parte del
problema. El «problema» reside en quienes hacen los trabajos
físicos que necesita la sociedad para su subsistencia.

La siguiente controversia de importancia giraba en torno
a las enseñanzas de Nestorio, patriarca de Constantinopla,
quien se adhería a la posición cristológica de Antioquía. Nestorio declaró su oposición al título conferido a María como
theotokos (portadora o paridora de Dios), prefiriendo a su vez
referirse a ella como *christotokos, o anthropotokos* (portadora de
Cristo o del ser humano). Lo que se debatía en esta controversia no era un problema mariológico, sino el problema cristológico fundamental de que si la unión de lo divino y humano

---

[5] *Ep.* 101.

en Cristo es tal que resulta apropiado hablar de un solo sujeto. Nestorio insistía en que algunas cosas se pueden predicar de la divinidad de Jesús y otras sólo de su humanidad. Cuando decimos, por ejemplo, que Jesús nació, nos referimos a su humanidad, y no a su divinidad. Se le oponían los teólogos alejandrinos, así como muchos otros, entre los cuales estaba el obispo León de Roma (conocido en la historia como León el Grande), quienes insistían en la doctrina de la *communicatio idiomatum*. Esta doctrina enseñaba que la unión de lo divino y humano en la encarnación es tal que lo que se afirma de una puede también afirmarse de la otra. Nestorio buscaba preservar la realidad de ambas naturalezas, las cuales terminó por separar al hablar no sólo de dos «naturalezas» sino también de dos «personas». Esto fue aprovechado por sus opositores para decir que su constante distinción de las dos «naturalezas» sin una unión real desmentía la realidad de la encarnación. Después de largos y complicados debates teológicos, seguidos de muchas negociaciones eclesiásticas, la doctrina de la *communicatio idiomatum* pasó a ser parte de la cristología ortodoxa, mientras que la posición de Nestorio fue rechazada. Esto ocurrió en lo que se ha llamado el Tercer Concilio Ecuménico, reunido en Éfeso en 431. Tal decisión significó la derrota de las formas cristológicas «disyuntivas», al menos las de carácter más extremo.

La opción nestoriana nunca ha tentado a los hispanos, porque siempre hemos tenido la necesidad de afirmar que el Jesús quebrantado, oprimido y crucificado es también Dios. Una separación de la divinidad y la humanidad de Cristo al estilo de Nestorio destruiría el gran atractivo que los hispanos y otros grupos minoritarios que sufren opresión sienten hacia Jesús. Muchos cristianos de la comunidad noratlántica han criticado a los hispanos por su tendencia a representar

los sufrimientos de Cristo con escenas sangrientas. Dicen que
esto es una manera derrotista de ver la religión y a la vez una
actitud sadomasoquista que obtiene placer del dolor. Desde
luego que no es este el caso. La importancia de los sufrimientos de Cristo radica en que son un signo de que Dios sufre con
nosotros. Un Cristo lánguido es el signo de que Dios está con
el hambriento. Un Cristo flagelado es el signo de que Dios
está con aquellos que llevan las marcas de las injusticias sociales. El sufrimiento y la sangre han sido la suerte de las masas
empobrecidas de América Latina durante mucho tiempo. El
sufrimiento y la sangre han sido la historia del méxicoameri-
cano a lo largo de la frontera entre México y Estados Unidos.
Nestorio y su pensamiento niegan que Dios haya pasado por
esto. Es por eso que nuestra devoción no se dirige al Cristo
nestoriano.

Por otro lado, el Concilio de Calcedonia del año 451 tampoco le dio rienda suelta a la cristología alejandrina. Tal cristología afirmaba la unidad de la divinidad y la humanidad
en Jesús a tal punto que al final la divinidad eclipsaba y hacía
desaparecer con su brillantez a la humanidad. El Concilio rechazó, por la misma razón, la doctrina de Eutiques, llamada
«monofisismo», o la doctrina de «una naturaleza». Aunque
no hay mucha precisión en el pensamiento de Eutiques, parece que afirmaba junto a sus seguidores que en la unión de
las dos naturalezas, la divina sobrepasaba totalmente a la humana, de modo que al hablar de Cristo se habla más bien de
su divinidad. Mientras que en oposición a todo eso, el resto
de la iglesia decía que Jesucristo era *homousios* — de la misma
substancia— no sólo con Dios, sino también con nosotros. No
puede entenderse la unión de lo divino y lo humano en Cristo
de tal modo que ya no existan en él las «dos naturalezas», la
divina y la humana.

Las mismas razones por las que se rechazó el gnosticismo
pueden aplicarse al monofisismo. Si lo humano fue absorbi-
do por lo divino hasta el punto en que Jesús ya no funciona-
ba como un ser humano, entonces sus sufrimientos eran una
farsa. No podríamos encontrar en él una reivindicación para
nuestros sufrimientos, ya que sus sufrimientos nada tendrían
que ver con los nuestros. El Crucificado tiene que haber sufri-
do la cruz de modo real. El Cristo ensangrentado de los hispanos, que tanto ofende la sensibilidad de los cristianos nora-
tlánticos, tiene que haber sido tan azotado como cualquiera
de nosotros. Tiene que ser divino, pues si no lo fuera sus sufrimientos no tendrían poder redentor, y tiene que ser humano,
pues si no lo fuera, sus sufrimientos no tendrían nada que ver
con los nuestros. Esta unión debe ocurrir de tal modo que su
verdadera humanidad no sea destruida por su divinidad.

Aunque el debate continuó por mucho tiempo después de
finalizado el Concilio de Calcedonia, con las controversias
entre monotelitas y monerguistas en el siglo 7, Calcedonia
consiguió establecer los parámetros por los cuales de ahí en
adelante se mediría la cristología ortodoxa:

> Siguiendo el pensamiento de los santos Padres, a una
> voz enseñamos que debe confesarse que nuestro Señor
> Jesucristo es uno y el mismo Dios, que es perfecto en
> la deidad, que el mismo es perfecto en su humanidad,
> verdadero Dios y verdadero hombre, que tiene alma
> racional y cuerpo, *homousios* con el Padre en su deidad,
> y a la vez *homousios* con nosotros en su humanidad;
> igual en todo a nosotros, pero sin pecado; engendrado
> del Padre antes de todas las edades; y en los postreros
> tiempos por nosotros y para nuestra salvación se en-
> carnó en María la virgen *theotokos* en su humanidad;
> uno y único Cristo, Hijo, Señor, Unigénito, conocido en

dos naturalezas que existen sin confusión ni cambio,
sin división ni separación, pues la unión no deshace
las diferencias en naturalezas, sino que se preservan las
propiedades de cada una, y ambas concurren en una
Persona y en una *hipóstasis* —no dividido en dos personas, sino uno y el mismo Hijo Unigénito, el Verbo
divino, el Señor Jesucristo; tal como los antiguos profetas testificaron acerca de él, y como el mismo Señor
Jesucristo nos ha enseñado, y como el Símbolo de los
Padres nos lo ha transmitido.[6]

Esta fórmula, que parecerá al lector moderno como repe-
titiva, tiene sin embargo algunos valores muy positivos, por
un lado, y por otro, algunas fallas importantes. Su valor está
en que evade los principales errores que amenazan tanto a la
cristología antioqueña como a la alejandrina. Es importante
que elimina las dificultades centrales a las cristologías alejandrinas y antioqueñas. En oposición a los alejandrinos extremos, la fórmula rechaza el que la divinidad de Cristo desplace
a su humanidad. En oposición a los antioqueños extremos, la
fórmula rechaza el que su humanidad sea enfatizada hasta
el punto de debilitar o aun negar la unión con la divinidad.
Aun cuando el lenguaje de la fórmula no nos resulte familiar
y quizá no tenga ni siquiera mucho sentido, aquí se afirma
que lo divino y lo humano se unieron en Cristo para nuestra
salvación, a la vez que se rechaza todo intento de minimizar
la humanidad, la divinidad, o la unión misma.

Sin embargo, hay un lado negativo que debe señalarse, y es
que toda la controversia, y por tanto la «Definición» de Calcedonia, se plantearon en términos estáticos. Cuando la fórmula
se refiere a la «humanidad», no intenta hablar del niño que

---

[6] R. V. Sellers, *The Council of Chalcedon*, SPCK, Londres, 1953, pp. 210-11.

crecía en gracia y sabiduría (Lc 2.52), o del joven que tiene
que encarar serias decisiones (Mr 1.12 y paralelos). De igual
manera, cuando la fórmula se refiere a la divinidad, no intenta hablar del Dios que actúa en la historia, como lo muestran
las Escrituras. En ambos casos, la humanidad y la divinidad
se plantean en términos de esencias estáticas. Estos conceptos no guardan relación alguna con el testimonio bíblico con
respecto al carácter de Dios, ni con la experiencia humana en
relación con lo que significa ser verdaderamente humano.

Pero la dificultad principal tanto de esta fórmula como de
todas las controversias que condujeron a ella es que fuera de
la revelación no es posible saber quién es Dios ni tampoco qué
significa ser verdaderamente humano. No es correcto abordar
el asunto de la revelación con una idea preconcebida de Dios
y sólo aceptar de esa revelación lo que concuerde con la idea
preconcebida. En el Antiguo Testamento tenemos ya la revelación de quién es Dios, o para decirlo con más precisión, de
cómo actúa Dios. Tenemos además la declaración de lo que
significa ser humano. Para la fe cristiana, esta revelación cul-
mina en la persona de Jesucristo, en quien se revelan de forma
plena tanto el Dios del Antiguo Testamento como la humanidad real. De modo que no se ha de abordar la persona de
Jesucristo con una idea preconcebida de la divinidad, que en
este caso se extraía de la tradición metafísica griega, ni tampoco con una idea preconcebida de lo que significa ser humano. El verdadero punto de partida para la cristología no es la
teología ni la antropología, ni una combinación entre ambas,
sino Jesucristo mismo, tal como las Escrituras testifican de él.
Como Karl Barth ha dicho:

> Podemos creer que Dios es absoluto en contraste con lo
> relativo; excelso en relación con lo que es bajo; activo
> en contraste con todo sufrimiento; inviolable en con-

traste con toda tentación; transcendente en oposición a
toda inmanencia; y por lo tanto divino en contraste con
todo lo que es humano; en conclusión, él puede, y tiene que ser, aquel que es «Completamente Otro». Pero
el hecho es que el que en Jesucristo Dios es todo esto
implica que todas esas afirmaciones son insostenibles,
corruptas y aun paganas.[7]

El que se da por los otros

La primera cosa que nos sorprende al leer los Evangelios es
que Jesús vive totalmente para los demás. En su nacimiento,
los ángeles anuncian a los pastores que «*Les* ha nacido hoy» ,
es decir, que ha nacido para ellos, «en la ciudad de David un
Salvador» (Lc 2.11). Uno de los versículos bíblicos más citados, pero menos ponderado, declara que «Tanto amó Dios al
mundo, que *dio* ...» (Jn 3.16). Toda la narrativa de los Evangelios se mueve hacia la cruz, no como un accidente, sino como
el resultado del Jesús que da su vida por otros: «Por eso me
ama el Padre: porque entrego mi vida para volver a recibirla.
Nadie me la arrebata, sino que yo la entrego por mi propia voluntad.» (Jn 10.17-18). En la cruz misma, Jesús es el que se da
por los otros cuando ora: «Padre, perdónalos porque no saben
lo que hacen» (Lc 23.34). Su regreso al Padre es también por
otros, lo que en cierto modo es el sello de su victoria, cuando
dice: «Voy pues a prepararles un lugar» (Jn 14.2).

No nos equivoquemos pensando que lo que había en la actitud de Jesús era cobardía disfrazada de falsa humildad. No,
sino que se dio en realidad por los demás. No sólo se dio por
los demás cuando sanaba a los enfermos, cuando perdonaba

---

[7] Karl Barth, *Church Dogmatics*, T & T Clark, Edimburgo, 1936, IV/I, p. 186.

a los que le crucificaban y cuando moría en la cruz, sino también cuando limpió el templo de los mercaderes, cuando les
dijo la verdad de frente a los fariseos y cuando llamó «zorra»
a Herodes. Jesús predicó que en el nuevo orden establecido
por él, el más grande sería el que sirve. Él mismo vivió lo que
predicó siendo el mayor siervo de todos. Hizo su entrada a
Jerusalén montado en un pollino hijo de asna, como un signo
de humildad, pero también como señal de que era el Mesías
prometido por el profeta (Mt 21.5; Zac 9.9). Cuando algunos
fariseos, preocupados por él, le advirtieron que Herodes le
buscaba para matarle, puso por delante la tarea que tenía hacia los demás: «Mira, hoy y mañana seguiré expulsando de-
monios y sanando a la gente, y al tercer día terminaré lo que
debo hacer» (Lc 13.32). Es en su entrega a los demás donde reside precisamente su señorío. Como lo dice Karl Barth: «¡Qué
Señor entre siervos fue este perfecto siervo en su Ser como
siervo!»[8]

Como el mundo en que vivimos no se caracteriza porque
haya igualdad, tampoco fue igual su trato con los demás. Jesús
pudo romper toda convención social y sentarse a hablar con
una mujer adúltera de Samaria (Jn 4.9), pero ser a la vez muy
duro con los fariseos y escribas que se consideraban maestros
religiosos y pilares de la sociedad. Podía pronunciar bendicio-
nes y maldiciones al mismo tiempo, y esto no en base a prácticas religiosas, sino en base a los diferentes estratos sociales:

> Dichosos ustedes los pobres, porque el reino de Dios
> les pertenece.
>
> Dichosos ustedes que ahora pasan hambre, porque se-
> rán saciados. Dichosos ustedes que ahora lloran, por-
> que luego habrán de reír.

---

[8] *Ibid.*, IV/2, p. 353.

Dichosos ustedes cuando los odien, cuando los discriminen, los insulten y los desprestigien por causa del Hijo del hombre.

Alégrense en aquel día y salten de gozo, pues miren que les espera una gran recompensa en el cielo.

Pero ¡ay de ustedes los ricos, porque ya han recibido su consuelo!

¡Ay de ustedes los que ahora están saciados, porque pasarán hambre! ¡Ay de ustedes los que ahora ríen, porque luego se lamentarán y llorarán!

¡Ay de ustedes cuando todos los elogien! Dense cuenta de que los antepasados de esta gente trataron así a los falsos profetas.

Lucas 6.20-26

Si uno se pregunta entonces si todo eso hacía a Jesús más divino o más humano, todavía no entiende el punto central de la encarnación. Y es que lo divino y lo humano no son polos opuestos, como en el espectro lo serían el color rojo y el violeta. Por ser más humano, Jesús no se vuelve menos divino. Jesús manifiesta su plena divinidad cuando se da por los demás, y de igual modo es ahí donde se manifiesta su plena humanidad.

Dios es «el Ser que se da». Esto es lo que la afirmación bíblica implica cuando dice que «Dios es amor» (1Jn 4.8). Amar es darse a los demás. Como vimos en el capítulo 7, esa es la razón por la que la doctrina de la Trinidad es esencial para la comprensión de Dios, pues «Dios es amor» significa ante todo que Dios ama dentro de la divina Trinidad. Pero «Dios es amor» también significa que Dios ama al mundo. El cuarto Evangelio dice que «tanto amó Dios al mundo». El carácter de Dios es el darse a los demás. Por eso la creación, preserva-

ción, juicio, redención y consumación son acciones del amor
de Dios. El Dios que se dio a sí mismo en Jesucristo es el que al
crear renuncia a su existencia en esplendor solitario, quien en
Abraham ama a un arameo errante, y quien en el Éxodo ama
a un pueblo esclavizado.

Ese divino carácter de darse no es la actitud de baja autoestima de quienes se esconden en una falsa humildad para
evitar problemas y dificultades. El darse de Dios tiene una naturaleza soberana que incluye el perdón y la redención, pero
también el juicio y la condenación. El amor de Dios no opera
de igual manera en todos los individuos y pueblos porque
esos individuos y pueblos no se relacionan entre sí como iguales. De aquí es que la Biblia dice que Dios tiene una preocupación esencial por los pobres, las viudas, los extranjeros y
los oprimidos, todos los cuales gozan de especial protección
de parte de la Ley y para quienes los profetas demandaban
justicia repetidamente. Cuando Dios obró, tal como lo declaró
María al inicio del Evangelio:

> Hizo proezas con su brazo; desbarató las intrigas de
> los soberbios. De sus tronos derrocó a los poderosos,
> mientras que ha exaltado a los humildes. A los ham-
> brientos los colmó de bienes, y a los ricos los despidió
> con las manos vacías.
>
> Lucas 1.51-53

El darse por los otros en el carácter de Dios es tal que constituye la razón por la que el mundo y la humanidad fueron
creados.

Don Miguel de Unamuno, comentando sobre quienes prefieren comprender las cosas para no tener que admirarse de
nada, escribió:

> Han llegado a preguntarse estúpidamente para qué
> hizo Dios el mundo, y se han contestado a sí mismos:
> ¡para su gloria!, y se han quedado tan orondos y satis-
> fechos, como si los muy majaderos supieran qué es eso
> de «la gloria de Dios».[9]

El caso es que sí sabemos en qué consiste la gloria de Dios.
La gloria de Dios es lo que vieron los israelitas en el Éxodo:
las poderosas obras de Dios en favor del oprimido pueblo de
Israel (Nm 14.22).

Este darse por los demás que es la gloria de Dios es también la gloria de Jesucristo. En Juan 1.14 se declara que «el
Verbo se hizo carne» y que «hemos contemplado su gloria, la
gloria que corresponde al Hijo unigénito del Padre». Algunos
eruditos interpretan este pasaje en el sentido de que Juan tiene un concepto semignóstico de Jesús en el que su gloria es
como un halo de luz que brillaba sobre él. Esto no es lo que
significa el texto. La gloria de Jesús es lo mismo que la gloria
de Dios. La gloria de Jesús es la misma que los hijos de Israel
vieron cuando se abrió el Mar Rojo. La gloria de Jesús es darse
a otros en amor, lo que constituye también la gloria de Dios.

Luego, la divinidad plena de Jesús se manifiesta en su juicio, en su redención y en su entrega por otros en amor. Y,
sorprendentemente, es el mismo amor lo que revela su plena
humanidad.

Cristo, fuente de nueva vida

Todo lo que se ha dicho es muy importante, no como una
explicación de la encarnación, sino para determinar quiénes

---

[9] Don Miguel de Unamuno, *Vida de Don Quijote y Sancho,* 14ª ed., Espasa-
Calpe, S.A., Madrid, 1966, p. 12.

somos y qué es lo que Cristo hace por nosotros. Así es que no se trata de especular sobre la «divinidad» y la «humanidad» de Jesús como realidades ontológicas. Se trata más bien del asunto existencial y urgente de qué significa para nosotros ser humanos, y cómo podemos lidiar con la vocación de ser humanos en una sociedad opresiva.

Con la publicación de la obra de Gustav Aulén, *Christus Victor*,[10] se ha hecho cuestión de consenso el que la comprensión «clásica» de la obra de Cristo consiste en afirmar que ha conquistado los poderes malignos y que mediante la unión con él nos hace partícipes de su victoria. Las otras dos opciones discutidas por Aulén, ninguna de las cuales es tan antigua como la «clásica», son: 1) que el problema humano es que tenemos una deuda con Dios y que Cristo vino para pagarla; y 2) que como humanidad carecemos de conocimiento o inspiración para amar a Dios y que Cristo vino para mostrarnos el camino y darnos un ejemplo.

Lo que no se hace con igual frecuencia es señalar que esos conceptos se relacionan con situaciones y agendas sociopolíticas.[11] El concepto jurídico por el que nos convertimos en deudores de Dios es muy adecuado para mantener a la gente en su propio estatus. En sus formas más extremas, este concepto aparece junto a frases como «no somos más que gusanos» o «ningún bien hay en nosotros». El concepto llamado «subjetivo» presenta a Jesús como ejemplo y maestro, implicando que nuestro problema es que no conocemos lo suficiente, o

---

[10] Una serie de conferencias pronunciadas en la Universidad de Uppsala en 1930, y publicadas en inglés poco tiempo después (Macmillan, Nueva York, 1931).

[11] He tratado de mostrar esta relación, así como la manera cómo esos enfoques de la obra de Cristo se relacionan con otros aspectos de la teología, en *Retorno a la historia del pensamiento cristiano*, Kairós, Buenos Aires, 2004.

no estamos suficientemente motivados para amar y servir a
Dios. Este concepto atrae particularmente a la clase media,
pues afirma que somos lo que de nosotros mismos hacemos, y
que el éxito se logra a través de grandes esfuerzos y una vida
decente. Frente a esas dos interpretaciones, está la «clásica»,
la cual es particularmente importante para quienes sostienen
que el centro del problema humano no es ni una deuda con
Dios, ni una falta de espiritualidad, sino la esclavitud a los poderes del pecado. Este concepto fue importante para la iglesia
primitiva, y no fue por coincidencia que comenzó a perder
importancia y eclipsarse cuando la iglesia escaló a los estratos del poder. Esta manera de entender la obra de Cristo es
importante para los hispanos y otras minorías que descubren
que, en su camino hacia una completa humanización, se in-
terponen estructuras de poder que tratan de impedirla. Para
tales cristianos, la teoría «clásica» de la redención resulta ser
sumamente importante para comprender la obra de Cristo,
aunque para otros cristianos, tanto fundamentalistas como liberales, tal teoría resulte poco atractiva. Con esto no quiero
decir que el concepto anselmiano, que tenemos que pagarle a
Dios por nuestros pecados, no esté aún vigente entre los hispanos. De hecho, tanto la Iglesia Católica Romana tradicional
como los misioneros protestantes nos lo han enseñado como
si fuese la síntesis misma del evangelio. Lo que ha quedado
claro es que al oír que la obra de Cristo consiste en la conquista del pecado y la consiguiente libertad de la esclavitud,
los hispanos han incorporado estos conceptos a su teología y
devoción con gran avidez.

Otro tema muy antiguo en la teología cristiana es que Dios
se hizo humano de manera que los humanos pudieran vol-

verse divinos.[12] Los teólogos occidentales han tenido problemas en aceptar esa declaración, pues dicen que tiende a
eliminar la distancia que existe entre lo divino y lo humano,
olvidando que es eso precisamente lo que ha ocurrido en la
encarnación. Dicen también esos teólogos que esa declaración
es radicalmente diferente a la «clásica», olvidando que los exponentes de una son los mismos que los de la otra. Esos teólogos olvidan que el propósito divino en el acto mismo de la
creación fue que fuésemos como Dios. La tarea de la teología
no es exaltar la divinidad de Dios por vía de la devaluación
de la criatura humana. Un Dios que necesitase de tales medios sería bastante mísero. En todo caso, en lo que yerran los
críticos de la teología del cristianismo primitivo es en pensar
en términos estáticos y metafísicos. La intención en citar esa
declaración no es afirmar que los humanos deben convertirse
en «divinos» en términos metafísicos, sino más bien que los
humanos deben crecer en su comunión con Dios y así aproximarse más y más a lo que es Dios. Dios es amor hacia los demás. Ese es el Dios Trino. Ese es el Dios que se ha revelado
en Jesucristo. Lo que Jesús ha hecho es abrir para nosotros la
puerta del amor y libertarnos de modo que podamos empe-
zar a amar a los demás. Cuando empezamos a vivir para los
otros, nos vamos convirtiendo en mejores seres humanos, y
al ser verdaderos seres humanos, nos parecemos más a Dios.
¡Dios se hizo humano para que los humanos podamos ser
como Dios!

---

[12] Ireneo, *Adv. Haer. 5.* Prefacio; Atanasio, *De inc.* 54.; *Ep. Ad Adelph. 4.* Puede
que haya un enfoque semejante tras las palabras de 2 Pedro 1.4.

11

LA VIDA EN EL ESPÍRITU

Al presente existe una mala atmósfera dentro del protestantismo tradicional. Agobiadas por estadísticas decrecientes,
las principales denominaciones buscan afanosamente expli-
carse lo que ocurre y determinar cuáles serían las soluciones
al caso. A veces escuchamos soluciones fáciles, como si la mala
atmósfera a que me refiero pudiese solucionarse con mejores
programas o con revisiones a las estructuras eclesiales.[1] Tales
recetas, que atraen a muchos, se limitarían a una reforma de
las estructuras de la organización, o a ciertos programas nove-
dosos que mediante algunos ajustes presupuestarios podrían
llevarse a cabo. Pero la verdad es que el problema es mucho
más profundo, pues tiene que ver directamente con el sentido del evangelio y con cómo se expresa en la vida diaria de

---

[1] Hay varios intentos por encontrar soluciones estructurales en mi propia
denominación, la Iglesia Metodista Unida. Ejemplo de esto es James W.
Holsinger y Evelyn Laycock, *Awaken the Giant: 28 Prescriptions for Reviving
the United Methodist Church*, Abingdon, Nashville, 1988. La dirección del
libro se ve en el título mismo: «28 recetas». Lo que los autores piensan que
debe hacerse es cambiar la organización y establecer nuevos programas,
abandonar las cuotas étnicas y de género, establecer que el nombramiento
de los pastores dependa de su productividad, que se ofrezcan cursos de
evangelización en los seminarios, etcétera. Puede que algunas de esas
soluciones sean buenas, pero algunas otras son muy malas. De cualquier
manera, no dan con la raíz del problema.

las personas, así como en la vida comunal y estructural de la iglesia. En este punto, la «espiritualidad» se convierte en un asunto clave. Tal tema, que ha sido usado amplia y antiguamente en la tradición católicorromana, adquiere ahora gran importancia dentro de las denominaciones protestantes. Cuando hablo de espiritualidad me refiero a la manera en que el evangelio es «vivido» en lo personal y «testificado» en la comunidad. Espiritualidad es vivir el evangelio, haciendo de la fe el fundamento de la vida personal. Pero es también vivir el evangelio de tal modo que la fe sea el fundamento de nuestras acciones y de nuestras estructuras. En consecuencia, no encontraremos solución para la mala atmósfera en que vivimos hasta que enfrentemos el tema de la espiritualidad —una espiritualidad que esté bien enraizada en las Escrituras y que de manera radical responda a las necesidades del mundo de hoy.

La espiritualidad y el Espíritu de mañana

Lo primero que hay que apuntar al abordar este tema es que la espiritualidad cristiana no ha de construirse sobre la distinción entre el espíritu y la materia. De hecho, debo decir que si tal diferenciación aparece en las Escrituras, tiene una importancia mínima. Tendríamos grandes problemas si afirmásemos que tales distinciones son presuposiciones fundamentales a la espiritualidad cristiana y luego fuésemos a la Biblia en busca de dirección. En todo el canon de las Escrituras no existen más que unos cuantos pasajes que podrían citarse en favor de las distinciones entre la materia y el espíritu, y aun tales pasajes están sujetos a diversas interpretaciones.

Es un hecho muy conocido por los historiadores y eruditos bíblicos que tal distinción entre materia y espíritu era común en el mundo helenista, y que tales ideas se infiltraron en la teología y la piedad de la iglesia en los propios primeros siglos al punto que las generaciones sucesivas llegaron a creer que tales contrastes formaban parte de la espiritualidad cristiana.

Que existan o no esas dos realidades, que difieran entre sí, o cómo difieran, no son los asuntos más importantes aquí. Lo importante es que tales distinciones no son parte central del mensaje bíblico acerca de la realidad, y por lo mismo no deberíamos recurrir a ellas cuando de la reconstrucción de la espiritualidad cristiana se trate.

La base de la espiritualidad cristiana no es «lo espiritual» como realidad opuesta a lo material, sino el Espíritu, el Espíritu Santo de Dios. Utilizando el lenguaje bíblico, no se es «espiritual» porque uno se interese en las cosas «espirituales» en contraste con las cosas «materiales», sino por causa de la presencia del Espíritu Santo. Una persona no es «espiritual» porque ejercite los músculos del espíritu, por así decirlo, como lo haría un atleta, sino porque en ella habita el Espíritu de Dios. Este es el punto preciso que debemos tener en cuenta en la búsqueda de una espiritualidad bíblica.

Así es como nos preguntamos: ¿Podría considerarse «espirituales» a los profetas Isaías y Miqueas? Si con eso queremos decir que estaban preocupados por la seguridad de sus almas después de la muerte, o si ellos pusieron a un lado las cosas materiales para abrazar las cosas «del más allá», entonces la respuesta es «no». Lo mismo puede afirmarse de las grandes figuras del Antiguo Testamento. Si es cierto lo que dijimos anteriormente, que no sólo debemos interpretar el Antiguo Testamento a la luz del Nuevo, sino también el Nuevo a la luz del Antiguo, entonces, el mensaje central de las Escrituras —que incluye la naturaleza de la espiritualidad— debe mostrar la continuidad de los dos Testamentos. De aquí que

afirmar que el mensaje central de la Biblia es «espiritual», entendido en un sentido ultraterreno, es minimizar la autoridad
del Antiguo Testamento y caer veladamente en una especie
de marcionismo.

En segundo lugar, cuando la Biblia contrasta lo espiritual
con su opuesto, ese opuesto no es lo «material», sino lo «viejo», o de modo todavía más sorprendente, lo que vive según
el alma —por así decir, lo «almal». Echémosles una mirada
a esos contrastes, tal como aparecen en la literatura paulina.

En primer lugar, aparece el contraste entre lo espiritual o
nuevo y lo viejo, que en el pensamiento de Pablo se refiere
a la realidad de ser crucificado y resucitado con Cristo. Esta
realidad no significa la culminación de la vida cristiana, sino
su principio y fundamento. En otras palabras, no se comienza por ser cristiano y luego a través de un arduo proceso de
renunciamiento y dura labor se llega a morir con Cristo, sino
que en el momento en que uno se hace cristiano, muere a todo
lo viejo y nace de nuevo en Cristo.[2] Ser cristiano significa vivir
y testificar lo que ya somos. Pablo lo establece muy claramente en Colosenses 3.3-4: «Pues ustedes han muerto, y su vida
está escondida con Cristo en Dios. Cuando Cristo, que es la
vida de ustedes, se manifieste, entonces también ustedes serán manifestados con él en gloria». En otro lugar, Pablo dice
que «nuestra vieja naturaleza fue crucificada con él» (Ro 6.6).
Existe también otro pasaje que se cita con frecuencia, pero que
raras veces se comprende: «Si alguno está en Cristo, nueva
criatura es; las cosas viejas pasaron; he aquí todas son hechas
nuevas» (2Co 5.17, RVR 60). Parte del problema para entender

---

[2] Tal como se ha señalado tantas veces, eso fue lo que desanimó a Nicodemo
cuando se le exigió nacer de nuevo, pues tal cosa requiere también que se
muera a lo viejo.

lo radical de este texto es que la estructura de nuestro idioma
dificulta una traducción más directa del pasaje. Quizá podríamos intentar una traducción más literal, que diría: «Si alguno está en Cristo, ¡nueva creación! ¡Todo lo viejo ha pasado!
¡He aquí, lo nuevo ha llegado!» La diferencia está en que la
traducción tradicional implica que quien es hecho una nueva
creación es el creyente. Lo que implica el texto griego es que
todas las cosas son renovadas. Lo que se desprende de esos
pasajes y muchos otros es que el contraste entre lo nuevo y lo
viejo está en la base misma de la vida y espiritualidad cristianas, y además que esa novedad no procede de lo viejo, como
si fuera un desarrollo natural de ello, sino que ocurre por intervención de Dios.

La otra palabra que Pablo opone a lo «espiritual» es, sorprendentemente, el adjetivo derivado de «alma», que podríamos traducir con el neologismo «almal». Como tal palabra no
existe en nuestro idioma, los traductores de versiones modernas utilizan otra. Por ejemplo, en 1 Corintios 2.14, dos de las
principales versiones inglesas, la *Revised Standard Version* y la
Biblia de Jerusalén usan el término «antiespiritual», o «no espiritual», mientras que la *New American Standard Bible* traduce
«natural».[3] La dificultad en la traducción se ve en que cuando
se traduce «natural», algunas Biblias añaden una nota al calce
indicando la alternativa «antiespiritual», o «no espiritual». Lo
que dice el texto griego es «almal», es decir, conforme al alma
y no al Espíritu, de modo que el contraste que se establece en 1
Corintios 2.14-15 es entre la persona «almal» y la «espiritual».
Siempre que comprendamos lo que significa, podemos hablar

---

[3] La *Reina-Valera Revisada*, como la mayoría de las biblias castellanas, dice
«natural». Lo que se dice en el texto sobre la lengua inglesa es también
cierto de la castellana, que no tiene palabra para expresar la noción de lo
psychikos.

de lo «no espiritual» o de lo «natural». El punto importante es que sin el Espíritu de Dios no hay espiritualidad.

Por su propia naturaleza, el ser humano es «almal», pues aun el más antiespiritual vive la vida del alma. Claro está que esa vida no ha de confundirse con la vida espiritual que viene del Espíritu Santo. Sin el Espíritu Santo, somos «antiespirituales», «naturales» o «almales». Cierto es que por naturaleza vivimos una vida que va más allá de lo material; pero aun así, esa vida es «antiespiritual».

En consecuencia, para comprender el sentido de la espiritualidad bíblica, tenemos que hacer un contraste esencial entre el Espíritu y la naturaleza. «Naturaleza» no es lo que se entiende por los fenómenos naturales o las leyes naturales. La naturaleza, en el sentido de la creación cósmica, es la obra de Dios. En ese sentido, la naturaleza es una creación espiritual de Dios, pues Génesis 1.2 dice que «el Espíritu de Dios iba y venía sobre las aguas». Todo lo que Dios creó lo hizo a través del Espíritu. Todas las cosas que Dios aún crea, las crea a través del Espíritu. Todas las cosas que Dios creará, las hará también por el Espíritu. En este sentido, toda realidad creada es el resultado de la obra del Espíritu y tiene una dimensión espiritual. Pero no es en este sentido que la Escritura contrasta lo «natural» con lo «espiritual».

La palabra «naturaleza» tiene también otro significado. En este sentido, la «naturaleza» de una cosa es lo que hace que la misma sea lo que es y haga lo que hace. La naturaleza del fuego es arder. La naturaleza del sol es brillar. Los seres humanos somos parte de una creación caída en pecado y estamos por lo mismo sujetos al pecado. Esa es pues nuestra naturaleza.

Desde esa perspectiva podemos ver que lo que caracteriza a la «naturaleza» en contraste con el «Espíritu» es que la natu-

raleza nos ha sido dada. Mientras que la naturaleza es la fuerza interior que hace que las cosas sean lo que son, el Espíritu
es el poder que interviene para hacer que las cosas no sean lo
que son, sino algo nuevo. A través del poder del Espíritu el
mundo es creado de la nada. A través del poder del mismo
Espíritu, el ser humano «natural», «viejo», «almal» o «antiespiritual» es creado de nuevo, de modo que la naturaleza vieja
no ejerza más el control.

En este sentido, la naturaleza es lo pasado, lo viejo, lo in-
nato, mientras que el Espíritu es el poder del futuro, lo nuevo,
la promesa. Esta es la razón por la que unos cuantos versos
antes del pasaje sobre lo «antiespiritual» y lo «espiritual» Pablo contrasta lo que él llama «el espíritu del mundo» con el
«Espíritu de Dios»: «Y nosotros no hemos recibido el espíritu
del mundo, sino el Espíritu que proviene de Dios, para que
sepamos lo que Dios nos ha concedido» (1Co 2.12). Esto quiere decir que el espíritu del mundo sólo percibe «lo natural»,
lo que está ante sus ojos, o lo que procede del orden presente,
mientras que el Espíritu de Dios nos permite ver «lo que nos
ha concedido», la venida del Reino, el nuevo orden, nuestra
herencia, la promesa.

El Espíritu de Dios es el garante de lo que se nos ha prometido, dado el carácter propio de toda promesa, de modo que
lo que «ya» se promete, «todavía no» se manifiesta, pero es
seguro. El Espíritu es la primicia, el pronto pago del reino (Ro
8.23). Según las Escrituras, este reino no es puramente «espiritual» en el sentido común de la palabra, sino que es un reino
en el que a algunos se les promete «la tierra» por heredad, y
a otros, que serán satisfechas su «hambre y sed de justicia».

Tienen razón quienes insisten en que la espiritualidad cristiana es diferente al «espíritu del mundo». Donde muchos

yerran es en pensar que el rechazo del «espíritu del mundo» implica también el rechazo de la materia, o el dejar de lado todo lo que tenga que ver con cosas materiales.

El Espíritu de Dios es la primicia, el pronto pago, el garante del reino de Dios. Antes de seguir, deberíamos considerar brevemente esa frase: «el reino de Dios.» Se ve claramente que al hablar del reino de Dios se implica que existe otro reino, otro orden, presidido por «el príncipe de este mundo» (Jn 12.31; 14.30; 16.11). El presente orden no es el que Dios nos ha prometido, sino que tenemos que esperar el reino del cual el Espíritu es la primicia.

El contraste entre ambos reinos se ha establecido frecuentemente en términos no sólo opresivos sino también antibíblicos. Sin embargo, es importante recordar que ese contraste es de orden temporal más que espacial y estructural más que ontológico.

Cuando entendemos el contraste entre los dos reinos en términos espaciales, como dos lugares, solemos pensar que hay un reino localizado en esta tierra en la que vivimos, por un lado y, por otro lado, el reino de Dios, que localizamos en algún lugar fuera de aquí. Sin embargo, las Escrituras contrastan los dos reinos de manera temporal. El contraste tiene que ver con «los postreros días», con «aquellos días», con «el día del Señor». El reino que esperamos y por el cual oramos «Venga a nosotros tu reino» no se localiza «arriba», sino «adelante». La distancia que nos separa del reino se describiría no tanto en términos de «aquí» y «arriba», sino más bien entre «ahora» y «entonces».

Este entendimiento del mensaje bíblico produce continuidad entre los dos testamentos, porque ambos se mueven hacia el «entonces» de Dios, o como lo llaman los profetas, «el día del Señor». El Dios del Antiguo Testamento es el que hace y promete que hará «nuevas cosas» continuamente. Eso es cierto tanto a nivel personal como a nivel comunitario. A nivel personal, el salmista dice al orar: «Crea en mí, oh Dios, un corazón limpio, y renueva la firmeza de mi espíritu» (Sal 51.10). A nivel comunitario, el pueblo canta a Dios una «nueva canción», no como expresión artística, sino en respuesta a las cosas nuevas que Dios hace. Por ejemplo, en Isaías 42.10 se anima al pueblo a cantar al Señor «un cántico nuevo», y la razón para hacerlo, en lo que el profeta continúa diciendo, tiene que ver con lo que el Señor dice: «¡Voy a hacer algo nuevo! Ya está sucediendo, ¿no se dan cuenta? Estoy abriendo un camino en el desierto, y ríos en lugares desolados» (Is 43.19).[4]

Desde esta perspectiva, el don del Espíritu es un «ya», un «por fin». Pedro lo dice en su mensaje en Pentecostés: «En realidad lo que pasa es lo que anunció el profeta Joel: "Sucederá que en los últimos días ..."» (Hch 2.16-17).

Por otro lado, el contraste entre los dos reinos es más estructural que ontológico. Cuando se habla de «dos reinos», tendemos a pensar que algunas cosas pertenecen a uno y otras al otro. Ha habido tiempos en la historia de la iglesia en que se ha pensado que un reino preside sobre los cuerpos y el otro sobre las almas, e incluso algunos han pensado que el evangelio gobierna sobre una de esas esferas y que el régimen

---

[4] Entre tantos pasajes pertinentes a lo que venimos diciendo, deben citarse Isaías 65.17 y 66.22. En Jeremías 31.22, lo que Dios anuncia como nuevo implica el desecho de lo que se consideraba el orden social establecido. El énfasis en lo nuevo que surge como obra de Dios ha de encontrarse no sólo en los profetas, sino también a través de las Escrituras. Ver, por ejemplo, Números 16.29-30, donde lo nuevo e inesperado se declara acción de Dios.

civil lo hace sobre la otra.[5] Sin embargo, el contraste entre el
reino presente y el porvenir no se basa en la naturaleza ontológica de las cosas, es decir, que unas son físicas y otras espirituales. El contraste se basa más bien en términos del orden
y la estructura que prevalecen en esos dos reinos. En uno de
ellos predomina el poder. Todos buscan su propio beneficio,
y quienes no pueden defenderse son oprimidos. En el otro
reino prevalece el amor. Lo que caracteriza verdaderamente
al reino de Dios no es que se localice en un lugar aparte, ni que
se componga de realidades diferentes, sino que es un reino de
amor.

Tal reino no es de «este mundo» (Jn 18.36). No porque se
localice en algún lugar diferente al que conocemos, ni porque
contenga diferentes realidades, sino porque es de un orden
diferente. Jesús lo dice de esta manera:

> Como ustedes saben, los que se consideran jefes de las
> naciones oprimen a los súbditos, y los altos oficiales
> abusan de su autoridad. Pero entre ustedes no debe ser
> así. Al contrario, el que quiera hacerse grande entre us-
> tedes deberá ser su servidor, y el quiera ser el primero
> deberá ser esclavo de todos.
>
> Marcos 10.42-44

Si algo es bien claro en los primeros capítulos de Hechos es
que parte de la función del Espíritu es sostener a la comunidad de creyentes para que pueda vivir ya, aunque sea imper-
fectamente, en el «todavía» del reino. La cita que Pedro hace
del profeta Joel juega en Hechos el mismo papel que la cita de

---

[5] Esto es cierto en algunos elementos dentro de la tradición luterana, debido
a una comprensión parcial de la doctrina de los «dos reinos» de Lutero.
Sobre el propio enfoque de Lutero, ver W. D. J. Cargill Thompson, *The
Political Thought of Martin Luther*, Brighton, Harvester, Sussex, 1984.

Isaías en el Evangelio de Lucas, capítulo 4. En ambos casos se trata del anuncio de la misión del protagonista principal, Jesús en Lucas y el Espíritu en Hechos. Lo que dice la cita de Joel es que el Espíritu ha sido derramado sobre «todo el género humano», y que esto incluye a los jóvenes, los viejos, los hijos, las hijas y hasta a los esclavos, tanto varones como mujeres (Hch 2.17-18). El resto del libro, y en particular los primeros capítulos, se ocupan de mostrar las acciones del Espíritu. Lo que ocurre en esos capítulos es que la iglesia descubre lo que significa vivir la vida del Espíritu: partir el pan en las casas, testificar, compartir las posesiones, extenderse a los gentiles, y cosas por el estilo. La iglesia primitiva es una iglesia espiritual, pero no porque invierta todo su tiempo en la oración y la meditación, sino porque es una iglesia que busca vivir el futuro que el Espíritu ya hace presente.

Basados en esto, podemos decir que ser «espiritual» significa vivir en el presente según el futuro que se nos ha prometido, precisamente porque esa promesa ha sido sellada y garantizada por el Espíritu Santo. Lo que eso significa es que la espiritualidad cristiana, esa espiritualidad genuina que no se basa en nuestros propios poderes espirituales sino en la presencia del Espíritu de Dios, es escatológica, orientada hacia el futuro. Se trata de una vida que se vive por la expectación, por la esperanza, por una meta, que es el reino de Dios. Tener el Espíritu en nosotros significa vivir con un pie aquí y otro en el estribo del futuro escatológico, viviendo plenamente ahora en espera de una nueva realidad, que es el reino de Dios.

Un ejemplo puede aclarar lo que quiero decir sobre la vida en el Espíritu. Si declaro que algún día me iré a pasar mis últimos días en Japón porque estoy convencido de que se trata de una cultura muy esclarecida, que tiene un arte muy hermoso y una literatura muy significativa, lo que digo se medi-

rá por la manera en que apoye con mis acciones lo que digo
con mis labios. Si estoy verdaderamente convencido de que
quiero hacer lo que digo, tengo que comenzar a aprender el
idioma japonés. Pero si a la vez construyo la casa que sueño
para mi retiro en Georgia y dedico todo mi tiempo a estudiar
italiano, todo lo que he dicho con tanto entusiasmo acerca de
la cultura japonesa sonará hueco y falso. Si fuese cierto lo que
digo acerca de Japón, debería apoyarlo aprendiendo japonés
y viviendo hoy con la mira puesta en lo que será mi vida bajo
esa nueva realidad.

Eso es lo que ocurre con la esperanza del reino de Dios.
Nuestro testimonio acerca de ese reino será falso y no creíble
mientras no hagamos ningún esfuerzo por hablar aunque sea
algunas palabras del idioma del reino. Si afirmamos ser parte del pueblo peregrino que espera el reino de Dios, no nos
queda otra cosa que comenzar a practicar ese amor que caracteriza al reino y organizar nuestras vidas conforme al nuevo
orden que viene, tal como lo confesamos.

Esa es una de las razones por las que es tan difícil para un
rico entrar en el reino de Dios (Mt 19.24), porque invertir en
el orden presente imposibilitaría el que se espere un orden
nuevo, así como el construir la casa de mi vejez en Georgia
imposibilitaría que me mude a Japón.

La iglesia como comunidad del mañana

Por todo esto, la expectación escatológica es tan importante en muchas iglesias hispanas. Cuando algunas personas de
la cultura dominante quieren mofarse de nosotros, diciendo
que somos gente perezosa que nunca trabajamos para alcanzar algo, usan una de las pocas palabras de nuestro idioma

que parecen conocer: *mañana*. Para ellos, *mañana* es la respuesta indolente de gente demasiado perezosa para esforzarse en algo. Pero la verdad es mucho más compleja que lo que ellos creen. *Mañana* es más bien la expresión desilusionada de todos aquellos que han tenido que aprender a través de amargas experiencias que sólo en muy contadas ocasiones sus esfuerzos les han reportado beneficios a ellos o sus familiares. *Mañana* es la respuesta de los trabajadores agrícolas cuando se percatan de que por mucho que trabajen, la mayor parte de sus entradas irá a parar a manos de sus patrones; o de los inquilinos de la ciudad de Nueva York, quienes saben que todos sus esfuerzos por lograr mejores condiciones de vida serán destruidos por los dueños de sus apartamentos, por los traficantes de drogas y hasta por las ordenanzas municipales.

Sin embargo, *mañana* tiene otra dimensión, pues *mañana* significa mucho más que el día o los días que siguen. *Mañana* es un cuestionamiento radical del hoy. Para los que controlan el presente orden de cosas, el hoy es el tiempo para construir el mañana, ya que éste traerá el fruto de lo que se siembra hoy. Para los hispanos empobrecidos y otros grupos minoritarios, el *mañana* es un tiempo radicalmente diferente al hoy. Es un tiempo de nuevas realidades que no proceden del desorden del orden presente, sino que serán producto de una ruptura total. Para algunos hispanos, la única separación entre el hoy y el *mañana* es «pegarse el gordo» en la lotería, y por eso apuestan —no porque son perezosos. Para otros, la separación ocurre a través de las drogas que les prometen liberación, sin importarles cuán breve sea ese efecto liberador.

Pero hay muchos otros que captan la visión bíblica del *mañana*. El mundo no seguirá siendo lo que es de manera indefinida. Ni siquiera será el mundo un resultado de lo que es hoy, pues el Dios que lo creó se propone hacer cosas nuevas, tan

grandes y sorprendentes como el primer acto de creación. ¡Y
ya Dios está haciendo esas cosas nuevas, a las cuales podemos
unirnos por el poder del Espíritu! ¡El *mañana* ya está aquí! Es
cierto que el *mañana* no está plenamente en el hoy, pero el hoy
puede ser vivido en el esplendor y la gloria de la promesa del
mañana, gracias al poder del Espíritu.

Mañana es además una palabra de juicio sobre el hoy.
Cuando se mira hacia el *mañana*, lo que se implica es que el
hoy no es tan color de rosa como algunos pretenden. No es
casualidad que ni bien Constantino se convirtió al cristianismo, muchos comenzaron a objetar la inclusión del libro de
Apocalipsis dentro del canon. No sólo hablaba este libro de
Roma (aunque Roma fuera ahora cristiana) como la gran ra-
mera asentada sobre siete colinas y ebria con la sangre de los
mártires, sino que también hablaba de nuevos cielos y nueva
tierra, implicando con esto que el «benévolo» reino del emperador distaba mucho del reino de Dios.

Lo mismo ocurre hoy, aunque de manera más sutil. Entre
teólogos y laicos muy «esclarecidos», no se aceptan sino las
expectativas escatológicas más idealizadas y desencarnadas.
A tales cristianos tan «sofisticados» les causa risa hablar de
una escatología vívida y lo toman a broma, pues no es so-
fisticado. Los teólogos liberales dicen que tales expectativas
escatológicas subvierten las acciones sociales y políticas de
los cristianos. Esto sería cierto sólo en base a cierta particular
comprensión de la escatología y en base a cierta comprensión
particular de la acción política y social.

Es verdad que hay una visión de la escatología que deses-
timula la acción en la esfera social. Me refiero a la escatología
«espiritualista» que se proclama en la radio y la televisión y
que en realidad subvierte toda comprensión de lo que es la

responsabilidad cristiana hacia la acción social y política. Sin embargo, la razón de esto no es que se trate de escatología, sino más bien que se trata de una falsa espiritualidad. Es obvio que nadie que no crea que el futuro que Dios promete tenga algo que ver con la vida física y el orden social mostrará interés alguno en las luchas políticas de nuestros días.

Sin embargo, ésa no es la única manera de entender la escatología. Ha habido otras instancias en que la escatología ha sido la fuerza que ha motivado drásticas acciones políticas. Prueba de ello son los muchos movimientos revolucionarios que tenemos en las páginas de la historia de la iglesia y que fueron inspirados por la escatología. Las grandes rebeliones de la Edad Media, como la de los anabaptistas en el siglo 16, surgieron de una vívida escatología. Y aunque la promesa de que habrá «pasteles en el cielo»[6] se articuló como una teología para mantener a los esclavos en sometimiento, es también cierto que la expectación escatológica ha jugado un papel muy importante en las luchas de liberación del pueblo afroamericano. En primer lugar, la ideología del «pastel en el cielo» hizo que muchos se preguntaran: «¿Cómo es que hay pastel en el cielo y sólo sudor y hierbas en la tierra? Si el propósito de Dios es que todos comamos pastel, ¿por qué algunos comen pastel mientras otros sufrimos?» En segundo lugar, la promesa de victoria contenida en la escatología impidió que el movimiento liberador se detuviera, pues nada puede hacer un esclavista para suprimir las libertades de un pueblo que canta: «*Oh freedom, oh freedom over me, and before I'd be a slave I'll be buried in my grave and go home to my Lord and be free.*»[7]

---

[6] Esto es una referencia al antiguo dicho de los esclavos norteamericanos, «pie in the sky, bye and bye».

[7] «La libertad, la libertad me cubre. Y antes de ser esclavo, que me entierren en mi tumba, para irme a mi hogar con mi Señor y ser libre.»

La acción política y social tal como la entiende el liberalismo no es tampoco la única opción, pues debemos recordar que el liberalismo teológico nació en el apogeo de la burguesía económica liberal y en mucho refleja sus valores. Así como el liberalismo económico (que por esas extrañas cosas del lenguaje se llama ahora «conservadurismo» en Estados Unidos) se planteó bajo la tesis que la riqueza es la recompensa por el trabajo y el ingenio, y que los que merecen el éxito económico lo obtendrán de todos modos, también se satisface el liberalismo teológico con una acción política y social que permite que unos cuantos tengan éxito. Hay, sin embargo, otra clase de acción política y social, una que no busca sencillamente la evolución del hoy hacia el mañana, sino la brecha que anuncia el *mañana*. Me refiero a la práctica profética. La misma actividad que hace que la iglesia primitiva sea políticamente activa. Se trata de un grupo pequeño e insignificante de personas, cuyas actividades provocan la ira del poderoso imperio romano. ¿Por qué? Porque al vivir una existencia que anuncia el *mañana* cuestionan los fundamentos mismos del orden social del imperio.

Existen muchas imágenes de la iglesia en el Nuevo Testamento. Sin embargo, es importante notar que cuando tales imágenes se interpretan en el contexto de la piedad de la cultura dominante, tienden a verse de manera estática y orientada al presente, cuando en su forma original eran de carácter dinámico y orientación futura. En nuestra sociedad utilitaria, se nos ha dicho que la imagen de la iglesia como el cuerpo de Cristo significa que «Cristo no tiene otras manos que las nuestras». ¡Eso no es sólo una mala interpretación de dicha imagen, sino que resulta ser blasfema! Puede ser que el Señor quiera usarnos como sus manos, pero en el momento en que le fallemos en tal tarea, de seguro que encontrará otras manos para llevar a cabo sus propósitos. Ser el cuerpo de Cristo significa mucho más que eso: significa compartir su vida. El modo en que la iglesia primitiva lo entendió es que así como Cristo, la cabeza del cuerpo, resucitó, nosotros también resucitaremos, y que mientras esperamos la consumación final, vivimos en la nueva vida por estar injertados en el cuerpo de la *vida verdadera*. Ser el cuerpo de Cristo significa que nuestra vida se deriva de la vida del que gobierna el nuevo orden, lo que nos hace vivir como «reyes y sacerdotes» (1P 2.9; Ap 1.6; 5.10). A todos aquellos que gozan hoy del poder, prestigio y respeto se les hace muy difícil comprender la realidad que viven los que pasan por el sufrimiento, la pobreza y la humillación, a quienes se les dice que en el orden del *mañana*, que en cierto modo ya se manifiesta hoy, ellos serán «linaje escogido, real sacerdocio, pueblo santo».

Para los hispanos, la iglesia es un pueblo peregrino. Pero no se trata de un peregrinaje a la deriva, sino de un peregrinaje hacia el *mañana* hecho posible por la muerte y resurrección de Jesucristo. Un *mañana* hecho presente por el poder del Espíritu, ¡y asegurado por el poder y la promesa de nadie menos que el Dios omnipotente!

Las buenas nuevas del mañana

Es en este punto donde colapsa el debate sobre si deberíamos concentrar nuestra acción sobre la «evangelización» o sobre la «justicia». Este es el punto donde el debate se amplía, porque la pregunta no es si deberíamos enfatizar un aspecto o el otro. Tampoco es una cuestión de estrategias. La pregunta es si estamos dispuestos a vivir una espiritualidad que, por la presencia del Espíritu Santo, nos convierta en el pueblo del reino de Dios.

Es aquí donde fracasan muchas de las estrategias de evangelización y crecimiento de la iglesia. En vez de afianzar a la iglesia en las soluciones del Espíritu, tratamos de sacarla de su mala atmósfera utilizando técnicas de mercadeo, las cuales terminan convirtiéndose en ídolos. Dijimos anteriormente que, si confesamos que nuestro futuro está en el reino de Dios, deberíamos practicar las señales de ese reino, así como deberíamos aprender japonés si nuestro futuro está en Japón. El problema de muchas de nuestras soluciones a la cuestión de la evangelización y la falta de crecimiento en la iglesia es que en lugar de desarrollar prácticas y estructuras basadas en la gramática del reino, tratamos de imitar y aplicar las gramáticas de las corporaciones «exitosas» de «este mundo».

Hace algunos años se puso de moda la «administración a través de objetivos». Ahora se nos dice que necesitamos un oficial ejecutivo.[8] Lo cierto es que por muchos siglos hemos tenido un Oficial Ejecutivo, pero ¡no lo hemos seguido! Quizá nos ayude el tener una cabeza administrativa, o quizá no, pero ¡se me hace difícil pensar que tal oficial pueda hacernos más fieles!

En el centro mismo de la evangelización está el anuncio de que, en el sacrificio y la resurrección de Jesucristo, el reino de Dios viene y se abre ante nosotros. Por el poder y la presencia del Espíritu, podemos vivir como ciudadanos de la ciudad que viene, como súbditos de aquel cuyo reino no tendrá fin. Pero nuestro testimonio será creíble en la medida en que vivamos como quienes creen tal mensaje y están dispuestos a vivirlo. Amar al prójimo, hacer justicia, anunciar la paz, cuidar

---

[8] Una de las propuestas que se ofrecía en la Iglesia Metodista Unida como solución a los problemas de la denominación cuando este libro se escribió era nombrar un «*Chief Operating Officer*», como en las grandes corporaciones.

de la viuda y del huérfano, no son cosas que hacemos además de proclamar las buenas nuevas, sino que son parte integral de esas buenas nuevas. La evangelización ha de enraizarse en la espiritualidad del reino de Dios, o no será las buenas nuevas de Jesucristo. ¡La buena nueva de Jesucristo, por el poder del Espíritu, es que el *mañana* ya está entre nosotros!